Programmed French Readers

BOOK THREE

La Robe et

Edited by HUGH CAMPBELL *Roxbury Latin School*

le couteau

and CAMILLE BAUER *Harvard University*

Houghton Mifflin Company • Boston

Under the editorship of

William C. Holbrook

Hampden-Sydney College

PRINTED IN THE U.S.A.

Table des matières

Preface

La Robe et le couteau, Volume III of Programmed French Readers, is a collection of modern short stories chosen for their interest, variety and literary quality. To further the gradual development of reading skills started in *Contes pour débutants* and expanded in *Arsène Lupin*, it was felt that a volume of short stories would best expose the student to varied styles, situations, and plots. The selection of stories was governed by the appeal, imaginative quality, and, at times, real concern of today's students for these texts. Whimsy, murder, charity, cynicism, fantasy, justice, budding avarice, and festering bitterness are all themes that appear in *La Robe et le couteau.* The French is in the modern idiom of course, and written by such outstanding authors as Maurois, Camus, Ionesco and others.

In large measure the value of this particular collection of short stories lies in the two new features common to the preceding two volumes of Programmed French Readers: all-French definitions and large numbers of oral and written exercises. The purpose of these exercises is twofold: to teach students to avoid mistakes that are frequently made and to assimilate, through active usage, the vocabulary, expressions, and linguistic patterns of each story. All of the vocabulary is defined in French. To point out the meaning of the text, there are definitions of the more difficult words as well as questions facing each page. In contrast to the first two volumes of the series, however, the text itself was not simplified but the stories were arranged in order of increasing vocabulary difficulty and literary sophistication. ® indicates material recorded on tapes.

Hugh Campbell

Camille Bauer

PIERRE BOILEAU

THOMAS NARCEJAC

Pierre Boileau et Thomas Narcejac, deux écrivains travaillant en collaboration, sont considérés comme les maîtres du suspense français. Leurs romans policiers et d'espionnage se distinguent par la vérité psychologique des personnages et, surtout, par l'atmosphère étrange et angoissante dans laquelle se situe le récit. De nombreux films ont été tirés de ces romans, par exemple *Les Diaboliques,* de Clouzot, et *Sueurs froides,* de Hitchcock. La nouvelle qui suit illustre bien le proverbe *Tel est pris qui croyait prendre.*

plutôt assez
prêt-à-porter m. vêtement fabriqué en série qui n'est pas fait sur mesures
indécis incertain
tout au moins certainement
carton m. feuille de papier très fort
quadriller diviser en petits carrés: couvrir de lignes droites
biais oblique, pas directement en face

1. Comment était la femme qui est venue voir le professeur Lavarenne?
2. Quel âge avait-elle probablement?
3. Qui l'aurait accompagnée si elle était venue pour elle-même?
4. Comment s'est-elle assise?
5. Sur quoi le professeur a-t-il pris des notes?
6. Comment s'appelait la cliente?

La Robe et le couteau

I

Le professeur Lavarenne examina la jeune femme qui entrait dans son cabinet... plutôt jolie... entre vingt-cinq et trente... assez bien habillée, mais du prêt-à-porter... situation sociale indécise, probablement modeste... ne venait pas pour elle-même, sinon elle aurait demandé à 5
une parente, à une voisine, de l'accompagner, tout au moins jusqu'au salon d'attente.

«Asseyez-vous.»

Le professeur prit un carton quadrillé. Sa cliente s'était assise de biais, genoux serrés, au bord du fauteuil, tout 10
contre le bureau. Elle évite déjà de me regarder, pensa Lavarenne. Elle a quelque chose de grave à confesser.

«Madame?

—Oui... Madame Juliette Maret.

—Votre adresse? 15

crisper faire des contractions
ganter mettre des gants
hocher Ex. Vous hochez la tête quand vous dites «non».
détendre calmer, mettre plus à l'aise
rue Cardinet rue de Paris
situation f. travail, emploi
remettre rassurer
être doué avoir des dons (d'intelligence, d'habileté), avoir des talents
du côté de son père de la famille de son père

1. Que faisait-elle de ses mains en parlant?
2. Comment hochait-elle la tête?
3. Pourquoi la vie était-elle devenue impossible pour elle?
4. Que lui a dit le professeur pour la calmer?
5. Quelle était l'adresse de la cliente?
6. Quelle était la profession de son mari?
7. Quel âge avait-il?
8. Quel âge avait la cliente?
9. Depuis combien de temps étaient-ils mariés?
10. Combien d'enfants avaient-ils?
11. A quoi pensait le docteur?
12. Comment paraissait Maret quand elle l'a épousé?
13. Comment ses parents sont-ils morts?
14. Qu'est-ce qu'il aurait voulu faire à quinze ans?
15. Qu'a-t-il bien fallu faire?
16. Pourquoi n'a-t-il pas été aidé par son oncle?
17. Quelle profession aurait-il choisie s'il avait eu les moyens?

—Docteur, c'est à cause de mon mari que... Il est fou!»
Elle crispait ses mains gantées sur son sac et hochait la tête d'un air désespéré.

«Il est devenu fou... La vie n'est plus possible.

—Voyons, madame... Calmez-vous... Détendez-vous... 5
Répondez à mes questions... Adresse?

—92, rue Cardinet.

—Profession?

—Mon mari travaille dans une banque. Il n'a pas une grosse situation, mais nous pourrions vivre tranquillement 10
si...

—Là, là... Remettez-vous... Quel âge a-t-il?

—Trente-quatre ans.

—Et vous?

—Vingt-huit ans. Nous sommes mariés depuis quatre 15
ans. Nous n'avons pas d'enfant. Je sais à quoi vous pensez, docteur... Non, nous nous entendons très bien. Jamais un mot plus haut que l'autre. Je fais tout ce que je peux pour le rendre heureux. Il le mérite.

—Quand vous l'avez épousé, il vous paraissait... disons 20
normal?

—Parfaitement normal. Peut-être un peu sombre quelquefois. Mais il faut vous dire, docteur, qu'il a eu des débuts difficiles. Ses parents sont morts dans un accident d'auto alors qu'il avait une quinzaine d'années. Il a dû se 25
débrouiller tout seul. Il aurait voulu étudier. Il était très doué. Mais il a bien fallu qu'il gagne sa vie tout de suite.

—Personne ne pouvait l'aider?

—Non. Il a bien un oncle, du côté de son père. Mais les deux frères étaient brouillés. Et puis Charles est très 30
fier.

—S'il avait eu les moyens, quelle profession aurait-il choisie?

—L'enseignement. Il adore l'histoire. Il y a des hommes

bricoler travailler pour se distraire. Ex. Mon père aime bricoler dans la maison le week-end.
faillir être sur le point de
s'inscrire écrire son nom sur
peignoir m. robe de chambre
agenouillé à genoux
carrelage m. plancher de salle de bain fait de petits carreaux céramiques
faire le serment jurer d'obéir, donner une promesse solennelle
s'enrouler s'envelopper

1. Que faisait-il chez lui, au lieu de bricoler?
2. Où a-t-il failli gagner trois millions?
3. Quelle sorte de jeu était-ce?
4. Quelles étaient les deux raisons qui l'avaient poussé à s'inscrire?
5. A quel moment Juliette Maret a-t-elle remarqué les premiers signes inquiétants?
6. Que faisait-il en se rasant?
7. Comment parlait-il?
8. Dans quoi était-il enveloppé une autre fois?
9. Sur quoi était-il agenouillé?
10. Qu'est-ce qu'il a dit en se relevant?
11. Combien de crises avait-il par semaine?
12. A quel moment de la journée les avait-il?

qui bricolent, chez eux, quand ils ont une minute. Lui, jamais. Il est incapable de planter un clou. Il lit. Il ne cesse pas de lire. Il sait tout. Il a failli gagner trois millions, à la Radio... Vous savez, un jeu où on pose des questions... On lui a demandé... 5

—Peu importe. Ce que j'aimerais savoir, c'est la raison qui l'a poussé à s'inscrire à ce concours.

—La raison?... Mais...

—Est-ce pour gagner de l'argent ou bien pour faire la preuve de son érudition? Je simplifie, mais vous voyez ce 10 que je veux dire.

—Peut-être bien les deux, docteur. Mais trois millions, c'est une grosse somme.

®—Quand avez-vous remarqué les premiers signes inquiétants? 15

—Il y a six mois à peu près... Ma foi, quelques jours après son échec à la radio.

—Ah! Intéressant, cela. Continuez.

—Le matin, il parlait tout seul, en se rasant. J'ai écouté. Il s'adressait à quelqu'un, mais je n'ai pas pu comprendre 20 à qui...

—A son image, peut-être.

—Oh! non. Il parlait comme s'il y avait eu quelqu'un dans la pièce. Il était en colère. Une autre fois, je l'ai surpris, enveloppé dans un peignoir de bain et agenouillé sur 25 le carrelage. Il se frappait la poitrine. Puis il s'est relevé, il a tendu la main droite et il a dit: 'J'en fais le serment.'

—Ce sont ses propres termes?

—Oui. Vous pensez si j'étais inquiète.

—Et il a eu beaucoup d'autres... crises? 30

—Mais tout le temps, docteur... Non, pas tous les jours, j'exagère. Mais une ou deux fois par semaine. Le matin, toujours le matin. Au moment où il fait sa toilette et où il se croit tout seul. Quelquefois, il s'enroule dans sa robe de

*prêcher** faire un sermon
accès m. attaque
brandir agiter en l'air en menaçant
qui lui tombe sous la main qu'il trouve
épuiser affaiblir, fatiguer totalement
intervenir interposer son autorité
exalté très excité
sanglot m. bruit qu'on fait en pleurant
reprendre ses esprits maîtriser son émotion
puis-je (prés. de *pouvoir*) est-ce que je peux

1. Pourquoi Juliette Maret ne savait-elle pas ce que disait son mari?
2. Comment était Maret après ces accès?
3. Se plaignait-on de lui à la banque?
4. Combien de temps duraient les crises?
5. De quelle manière s'achevaient-elles toujours?
6. Que buvait-il après?
7. Pourquoi Juliette Maret n'a-t-elle pas essayé d'intervenir?
8. Que craignait-elle?
9. Qu'a-t-elle fait après avoir fini de parler?
10. Qu'est-ce que le professeur n'avait jamais entendu raconter?

® chambre, sans passer les manches... ou bien dans une couverture, et il parle, il parle, on dirait qu'il prêche... mais comme il parle très vite et très bas, je ne sais pas ce qu'il dit.

—Mais il ne parle que s'il est drapé dans quelque chose?

—Oui.

—Curieux. Et après ces accès?

—Il est tout à fait normal.

—A la banque?

—On ne s'est jamais plaint de lui. Au contraire. Je le surveille, vous savez. Eh bien, il n'a ses crises que le matin, au lever.

—Elles durent combien de temps, à peu près?

—Oh! trois minutes, quatre minutes. Et elles s'achèvent toujours de la même manière. Charles brandit le premier objet qui lui tombe sous la main, avant-hier c'était sa brosse à dent, et il en donne de grands coups dans le vide.

—Attendez que je note. C'est capital!... Et ensuite?

—Ensuite, il est épuisé. Il boit un verre d'eau, et c'est fini.

—Avez-vous essayé d'intervenir, de l'appeler, de le secouer?

—Non, jamais... J'ai trop peur.

—Qu'est-ce que vous craignez?

—Peut-être qu'il me frapperait. Il a l'air terrible, à ces moments-là.

—Comment ça, terrible?... Méchant? Cruel?

—Non. Je ne sais pas bien expliquer... Plutôt exalté. Il est fou, quoi!»

Et Juliette Maret éclata en sanglots. Jamais le professeur n'avait entendu raconter histoire plus extraordinaire. Il laissa la jeune femme reprendre ses esprits.

«Voyons, madame, dit-il... Que puis-je pour vous? Je suis sûr que vous m'avez rapporté exactement ce que vous

résoudre faire la résolution
démarche f. action
imposte f. petite fenêtre au-dessus d'une porte
*aise** f. absence de gêne; *à votre* — aussi longtemps que vous voudrez

1. Selon le professeur, qu'est-ce qui valait mieux qu'un simple témoignage?
2. Qu'est-ce que Juliette Maret a prié le professeur de faire?
3. Qu'a-t-elle fait avant de se résoudre à cette démarche?
4. Dans quelle sorte de chambre voulait-elle le faire entrer?
5. Avec quoi cette chambre communiquait-elle?
6. Comment pouvait-on regarder?
7. A quel moment de la journée le professeur devait-il téléphoner?

avez observé. Mais les meilleurs témoignages ne valent pas l'examen direct.

—Venez à la maison... Je vous en prie, docteur... C'est le seul moyen. J'ai beaucoup réfléchi avant de me résoudre à cette démarche. Il faut que vous veniez. Il y a une chambre d'ami, chez nous, où Charles n'entre jamais. Elle communique avec la salle de bain par une porte toujours fermée à clef et on peut voir, par une imposte, tout ce qui se passe dans le cabinet de toilette. Si vous vouliez, docteur, il me suffirait de vous téléphoner, un matin... Nous habitons si près... Vous pourriez voir et entendre tout à votre aise... Il faut faire quelque chose, docteur. C'est trop affreux!»

pointe f. bout
escabeau m. sorte de petite échelle dont on se sert pour prendre quelque chose de haut placé, etc.
emporter, l'— gagner, avoir la supériorité
affublé habillé
profondément avec concentration
teint m. couleur du visage
verdâtre d'un vert désagréable
au cheveu rare qui a peu de cheveux
porte-serviettes m. objet sur lequel on place les serviettes
révélateur qui fait connaître quelque chose qui était caché
décollé détaché
tic m. petit mouvement rapide et nerveux, contraction de certains muscles
enfoncé qui n'est pas à la surface
soupirer faire une respiration forte en parlant

1. Comment le professeur Lavaranne a-t-il marché?
2. Qu'est-ce que Juliette Maret avait mis sous l'imposte?
3. Qu'est-ce qui l'emportait chez le professeur: la curiosité ou le ressentiment?
4. Juliette est-elle restée auprès de lui pour regarder?
5. Où était Maret?
6. De quoi était-il affublé?
7. Quelle sorte d'homme était-ce?
8. Quels détails le professeur a-t-il notés?

II

Sur la pointe des pieds, le professeur Lavarenne suivit Juliette Maret qui le conduisait vers la chambre d'ami. Elle avait disposé un escabeau sous l'imposte. Lavarenne n'eut qu'à monter deux marches. Il était furieux contre lui-même, mais la curiosité l'emportait sur le ressentiment. 5
Il attendit que Juliette eût refermé doucement la porte. Alors il regarda.

Charles Maret était immobile, au milieu du cabinet de toilette. Il était affublé d'une vieille robe et réfléchissait profondément. C'était un homme petit et maigre, au teint 10
verdâtre, au cheveu rare. Les mains derrière le dos, il fixait un point entre le lavabo et le porte-serviettes. Lavarenne avait oublié ses scrupules. Il notait toutes sortes de détails révélateurs: les oreilles un peu décollées, le tic de la lèvre, les yeux enfoncés et brillants... Maret soupira et 15

sursauter faire un mouvement brusque
Henri III (1551-1589) roi de France qui fut assassiné par un moine fanatique, Jacques Clément.
*délire** m. trouble mental
*mystique** qui a une signification cachée ou allégorique
revêtir habiller
parut (p. simp. de *paraître*)
paraître sembler
interdit incapable de parler
perchoir m. lieu où perchent les poules
vraisemblance f. apparence vraie
à bout de bras le bras allongé
flasque sans force, mou

1. A quel nom Lavarenne a-t-il sursauté?
2. Quels détails permettaient au professeur de penser que Maret était dans un délire mystique?
3. Qu'a fait Maret de la robe?
4. Qu'a-t-il fait avant de se regarder dans la glace?
5. Quand Juliette est-elle venue délivrer le professeur?
6. Quel air avait Maret en partant?
7. A quelle sorte de personnage avait-il voulu s'identifier?
8. Que pourrait-on faire si on pouvait reconnaître un des modèles?
9. Comment Maret tenait-il la robe quand le professeur est revenu?
10. Que serrait-il dans sa main droite?
11. Qu'a-t-il fait de la robe?

prononça quelques mots, rapidement. Lavarenne sursauta. Il n'était pas sûr d'avoir bien entendu... Henri III... Maret avait bien dit: Henri III... Il avait ajouté quelque chose qui s'était perdu. Le professeur retenait son souffle.

«Je les sauverai, dit Maret. C'est la volonté de Dieu!... Mais tout ce sang... tout ce sang!» Il joignit les mains, ferma les yeux. «Délire mystique», pensa Lavarenne. Charles Maret regarda autour de lui, remarqua la robe dont il s'était revêtu et parut interdit. Il la retira, la jeta dans un coin et s'habilla. Il se baigna le visage, et s'observa un instant, dans la glace. Enfin, il sortit. Lavarenne descendit avec précaution de son perchoir. Une dizaine de minutes plus tard, Juliette vint le délivrer.

«Alors? s'écria-t-elle.

—Il est parti? demanda Lavarenne.

—Oui. Il avait l'air plutôt gai.

—Étrange, dit le professeur. Sans aucun doute votre mari s'identifie à un personnage historique et, selon toute vraisemblance, à une femme. Mais laquelle? A mon avis, cette femme doit changer à chaque crise. Si l'on pouvait reconnaître un de ces modèles, il serait facile, ensuite, d'analyser l'obsession dont souffre M. Maret.

—C'est grave?

—Je l'ignore. Il y a, dans la conduite de votre mari, des particularités bizarres... Je ne peux pas entrer dans le détail, évidemment, mais c'est un cas très curieux... très curieux. Est-ce que je pourrai revenir?»

Charles Maret, cette fois, tenait la robe à bout de bras, comme un corps flasque et sans vie. Dans sa main droite, il serrait un couteau. Il leva les yeux vers le ciel et murmura:

«Il le faut, Seigneur. Il le faut!...»

Il planta le couteau dans la robe et, d'un geste prompt, fendit le tissu jusqu'en bas. En quelques secondes, la robe,

tailladé coupé en morceaux
lanière f. morceau d'étoffe, longue et étroite
entre-coupé interrompu
Édit de Nantes édit rendu par Henri IV, en 1598, en faveur des Protestants
Pape chef de l'église catholique
sortie de bain f. peignoir, robe de chambre
enfiler mettre
redevenir devenir encore une fois
désordonné qui ne met pas d'ordre dans les choses
induire mettre
Ravaillac assassin de Henri IV (1578-1610)
froc m. vêtement de moine
méconnaître ne pas reconnaître
*humilier** rendre humble

1. Où a-t-il jeté les lanières de la robe?
2. Qu'a-t-il déclaré après cette destruction?
3. Sur quoi s'est-il jeté soudain?
4. Qu'a-t-il fait après avoir abandonné l'arme?
5. Qu'est-il redevenu après?
6. Pourquoi a-t-il tâté ses poches?
7. Qu'a-t-il dit à propos de Juliette en voyant les morceaux de la robe?
8. Selon le professeur, Maret se prenait-il toujours pour une femme?
9. Quel rôle Maret avait-il joué ce jour-là?
10. Comment Maret avait-il pu tuer Henri IV?
11. Qui a assassiné Henri III?
12. Quel sentiment Maret avait-il eu après avoir perdu sa mère?

tailladée, fut réduite en lanières, que Maret jeta en tas dans un coin.

«Et maintenant, je suis nu, dit-il. Je suis libre!»

Il s'absorba dans une longue méditation, entre-coupée de brefs monologues. Puis il éclata d'un rire amer, «un rire de théâtre», songea Lavarenne.

«L'Édit de Nantes, dit-il, c'en est trop... Non, le roi ne déclarera pas la guerre au Pape... Jamais!» Soudain hors de lui, il se jeta sur une sortie de bain et la frappa, par trois fois, de son couteau. Alors, délivré, il abandonna l'arme et but un grand verre d'eau. Il enfila son veston et redevint un petit employé méticuleux. Il tâta ses poches pour voir s'il avait bien sur lui son mouchoir, ses clefs, son portefeuille. Il remarqua, sur le carrelage, les morceaux de la robe et soupira: «Cette pauvre Juliette! Ce qu'elle peut être désordonnée!» Un dernier coup d'œil à la glace; il s'en alla tranquillement.

Juliette accourut bientôt.

«Eh bien, chère madame, dit Lavarenne, je crois que je commence à comprendre. C'est la robe qui nous a induits en erreur. Nous étions persuadés qu'il s'agissait toujours d'une femme, n'est-ce pas? Mais pas nécessairement. Il arrive aussi que votre mari se prenne pour un moine. Aujourd'hui, par exemple, il a joué le rôle de Ravaillac. Il a tué Henri IV, après avoir symboliquement détruit son froc... vous trouverez votre robe taillée en pièces. La dernière fois également: il était Jacques Clément et il se préparait à assassiner Henri III.

—C'est affreux, gémit Juliette.

—Non, madame. C'est logique. Enfin, c'est logique pour lui... Voilà un homme qui a perdu sa mère de bonne heure et qui, aussitôt après, a eu le sentiment d'être méconnu, humilié, d'être privé de la place qui lui revenait. Il s'est jeté dans l'étude et la seule fois où il veut convaincre les

radiophonique de la radio
échouer au port échouer au moment où l'on croit réussir
névrose f. maladie mentale
justicier m. qui fait régner la justice
orphelin m. celui qui n'a ni père ni mère
*revanche** f. vengeance
aviser réfléchir à ce qu'il faut faire
il marche à fond il est complètement dupe
chéri m. terme d'affection
*ruminer** formuler en réfléchissant longuement
psychiatrie f. science qui traite les maladies mentales
psychiatre m. médecin des maladies mentales
*simuler** faire semblant
convaincre accuser et trouver coupable d'un crime
assassinat m. meurtre d'un homme
asile m. hôpital pour les fous
mettre au point perfectionner
constituer former la base
*ultime** dernier, final
échafaud m. lieu où l'on exécute un criminel
trépas m. mort
soupçonner avoir des doutes

1. Comment avait-il voulu convaincre les autres qu'il était quelqu'un?
2. Que lui est-il arrivé alors?
3. Comment l'orphelin, l'employé de banque pouvait-il prendre sa revanche?
4. Qui attendait Juliette à l'entrée du salon après le départ du professeur?
5. Que lui a-t-elle dit?
6. Quelle sorte d'ouvrages Charles avait-il lus?
7. Pourquoi voulait-il simuler la folie?
8. Quel type d'homme peut s'échapper d'un asile?
9. Quelle sorte de crime essayait-il de mettre au point?
10. Qu'est-ce que «l'opération Lavarenne» lui éviterait?
11. Qu'espérait-il?
12. Quelles apparences devait avoir le crime?

® autres qu'il est enfin quelqu'un—vous savez, le jeu radiophonique?—il échoue au port. La névrose s'installe aussitôt, rien de plus classique. En s'identifiant à des personnages historiques qui ont porté une robe et qui ont eu, en quelque sorte, une vocation de justiciers, l'orphelin, l'employé de banque, prend sa revanche...

—C'est bien ce que je disais. Il est fou.

—Mais non... Nous le guérirons, croyez-moi. Seulement, il faut agir vite. Il serait dangereux de le laisser dans cet état... Je vais aviser.»

Juliette reconduisit le professeur. Quand elle revint, Charles l'attendait, à l'entrée du salon.

«Alors? demanda-t-il.

—Ça va. Il marche à fond. Tu as été merveilleux, mon chéri.»

Mais le plus difficile restait à faire. L'oncle André était toujours vivant. Charles, depuis des semaines, ruminait son plan. Il avait lu des quantités d'ouvrages concernant la psychiatrie, et les troubles de la personnalité n'avaient plus de secrets pour lui. Abuser un psychiatre, c'était possible. Simuler des impulsions homicides, aucune difficulté. Autrement dit, si Charles était convaincu d'assassinat, c'était l'asile. Et l'on s'évade d'un asile, surtout quand on a toute sa raison. Mais Charles ne voulait pas se faire prendre. Ce qu'il essayait, laborieusement, de mettre au point, c'était un crime parfait. «L'opération Lavarenne», comme il disait dans ses rares moments d'abandon, constituait l'ultime précaution, celle qui lui éviterait l'échafaud. Il espérait bien qu'elle serait inutile et qu'il découvrirait un moyen élégant et sûr de faire passer l'oncle de vie à trépas sans être jamais soupçonné. Il suffisait, en somme, d'imaginer un crime qui eût les apparences d'un accident ou d'un suicide. Simple question de lecture, d'érudition.

oncle à héritage oncle dont on espère hériter la fortune
empoisonner donner du poison
noyade f. mort par immersion dans l'eau
baignoire f. récipient à eau dans la salle de bain où l'on prend un bain
exalter glorifier, célébrer
s'attarder prendre son temps
mûrir méditer
tenir debout être logique, être accepté comme vrai
arrière-pensée f. pensée cachée
abasourdir stupéfier
balbutier prononcer, parler avec difficulté, sous l'empire de l'émotion
bonne f. servante
malaise m. trouble physique
coupe-papier m. couteau servant à ouvrir les lettres, etc.
sur le coup aussitôt, immédiatement
procureur m. magistrat chargé de l'accusation d'un criminel
démontrer prouver
rêveusement comme dans un rêve

1. Quels exemples trouvait-il dans la littérature criminelle?
2. Quelle sorte de crime le tentait particulièrement?
3. Qu'aimait faire l'oncle André, justement?
4. Qu'est-ce qui retenait Charles?
5. Qu'est-ce que la bonne de l'oncle lui a téléphoné un jour?
6. Quand l'avait-elle trouvé?
7. Qu'est-ce qui lui était arrivé?
8. Qu'est-ce qu'il avait dû vouloir faire?
9. Sur quoi était-il tombé?
10. Comment est-il mort?
11. Pourquoi les deux époux étaient-ils pleins de joie?
12. Qui le professeur est-il allé trouver?

Charles cherchait, à travers la littérature criminelle. Les exemples ne manquaient pas. Des oncles à héritage discrètement pendus ou empoisonnés, il y en avait presque à chaque page. Cependant, Charles hésitait encore. La noyade le tentait beaucoup. Il se rappelait d'extraordinaires histoires où la baignoire jouait un rôle assez exaltant. Et justement, l'oncle André aimait à s'attarder dans son bain. Charles mûrissait son projet. En vérité, le projet était même au point. Ce qui retenait Charles, au dernier moment, c'étaient les propos de cet absurde professeur. Identification avec la mère... frustration... besoin de compensation... Tout cela ne tenait pas debout, bien entendu, mais laissait comme une arrière-pensée...

Le hasard fit beaucoup mieux les choses. Charles reposa le téléphone, abasourdi.

«Qu'est-ce que c'est? dit Juliette.

—L'oncle, balbutia Charles... L'oncle André... Il est mort... C'est la bonne qui me prévient. Elle l'a trouvé mort, en revenant des commissions.

—Quoi?

—Oui... Un accident. Un vrai... Il a été pris d'un malaise, pendant qu'il lisait, dans son bain. Il a dû vouloir se lever, appeler... Il tenait son coupe-papier et il est tombé dessus. Il est mort sur le coup.»

Les deux époux se regardèrent. La joie les étouffait.

«Nous sommes riches! dit Juliette.

—C'est quand même bon, dit Charles, d'être innocent!»

Le procureur écoutait le professeur.

«Le doute n'est pas possible, conclut Lavarenne. Cette fois, il est allé jusqu'au bout. Il ne peut s'agir d'un accident, je viens de vous démontrer pourquoi.

—Jacques Clément... Ravaillac..., dit rêveusement le procureur.

poignarder frapper avec un couteau pointu
Marat révolutionnaire français (1743-1793) qui fut poignardé par Charlotte Corday
Corday héroïne (1768-1793) qui poignarda Marat pour venger le mal qu'il avait fait aux Girondins. Elle fut guillotinée.
placé dans mon service un hôpital est divisé en plusieurs services dirigés par des médecins

1. Quelle démonstration lui a-t-il faite?
2. Quel homme politique français a été poignardé dans son bain?
3. Quels ordres allaient être donnés au sujet de Maret?
4. Pourquoi le professeur était-il heureux?

—Et maintenant, cet homme poignardé dans son bain, continua le professeur.

—Marat, évidemment, dit le procureur.

—Et Charlotte Corday, dit Lavarenne. L'obsession de la robe, toujours. 5

—Je vais donner des ordres.

—Si vous permettez, monsieur le Procureur, dans la mesure où ça dépend de vous, j'aimerais qu'il fût placé dans mon service. Il fera l'objet d'une surveillance étroite, vous pensez bien. Pas de danger qu'il nous échappe!... 10 C'est un cas assez extraordinaire. Je serais heureux de le suivre.»

Exercices

(Première partie)

Répondez sur le modèle indiqué:

I. Appelez-moi.
® *Réponse:* Il lui a dit de l'appeler.
1. Accompagnez-moi.
2. Aidez-moi.
3. Inscrivez-moi.
4. Attendez-moi.

II. Ne m'appelez pas.
® *Réponse:* Il lui a dit de ne pas l'appeler.
1. Ne me surveillez pas.
2. Ne me rendez pas malade.
3. Ne me craignez pas.
4. Ne me faites pas peur.

III. Racontez-moi cette histoire.
® *Réponse:* Il lui a dit de lui raconter cette histoire.
1. Téléphonez-moi demain.
2. Rapportez-moi le couteau.
3. Lisez-moi le journal.
4. Remettez-moi la lettre.

IV. Ne me racontez pas cette histoire.
® *Réponse:* Il lui a dit de ne pas lui raconter cette histoire.
1. Ne me parlez pas de cela.
2. Ne me prêchez pas la même chose.
3. Ne me remettez pas la lettre maintenant.
4. Ne me dites rien de méchant.

V. Asseyez-vous.
® *Réponse:* Il lui a dit de s'asseoir.
1. Détendez-vous.
2. Remettez-vous.
3. Inscrivez-vous.
4. Faites-vous examiner.

VI. Ne vous asseyez pas.

® *Réponse:* Il lui a dit de ne pas s'asseoir.

1. Ne vous rasez pas si vite.
2. Ne vous levez pas.
3. Ne vous inscrivez pas.
4. Ne vous plaignez pas.

VII. Examen sur les exercices précédents.

1. Rasez-vous.
2. Ne me rasez pas.
3. Ne vous rasez pas au salon.
4. Soyez modeste.
5. Attendez-moi.
6. Attendez mon mari.
7. Ne m'attendez pas.
8. N'ayez pas peur.
9. Faites-vous examiner. ®
10. Faites-moi gagner.
11. Faites-moi un carton.
12. Ne me faites pas mal.
13. Ne vous faites pas raser.
14. Ne soyez pas si cruel.
15. Remettez-vous.
16. Remettez le carton sur la table.
17. Remettez-moi le carton.
18. Tendez la main droite.
19. Inscrivez-vous.
20. Inscrivez-moi.
21. Ne vous inscrivez pas.
22. Ne m'inscrivez pas.
23. Vivez tranquillement.
24. Reprenez vos esprits.

VIII. Est-il possible qu'il vous frappe?

® *Réponse:* Peut-être qu'il me frapperait.

Est-il possible qu'il vous...

1. téléphone?
2. appelle?
3. surveille?
4. secoue?
5. croie?
6. fasse le serment?

7. dise tout?
8. surprenne?
9. choisisse?
10. entende?
11. réponde?
12. plaigne?
13. lise une histoire?
14. craigne?

IX. Pendant qu'il se rase, il parle tout seul.

® *Réponse:* Pendant qu'il se rasait, il parlait tout seul.

1. Chaque fois qu'il fait sa toilette, il s'adresse à quelqu'un.
2. Quand il est agenouillé, il se frappe la poitrine.
3. Pendant qu'il prêche, sa femme le surveille.
4. Comme elle a peur, elle n'ose pas lui parler.
5. Elle croit que son mari est fou.
6. Comme elle craint les crises, elle doit consulter un docteur.
7. Le docteur ne connaît pas la femme qui entre dans son cabinet.
8. Le professeur ne sait pas si elle est riche.
9. Pendant qu'elle s'assoit, elle évite de regarder le professeur.
10. Quand elle parle, elle crispe ses mains.

X. Mettez les verbes au temps du passé qui convient.

® *Exemple:* Juliette Maret est une jolie femme.
Réponse: Juliette Maret était une jolie femme.

1. Elle habite rue Cardinet.
2. Elle est mariée depuis quatre ans.
3. Son mari travaille dans une banque.
4. Il a des débuts difficiles.
5. Il est doué.
6. Il ne sait pas planter un clou.
7. Le soir, il lit.
8. Un jour, il s'inscrit à un concours.
9. Il veut gagner de l'argent.
10. Mais il ne réussit pas.
11. Sa femme fait tout pour le rendre heureux.

12. Un jour, elle remarque des signes de folie.
13. Elle le surprend dans la salle de bains.
14. Il est agenouillé sur le carrelage.
15. Il se frappe la poitrine.
16. Puis il se relève.
17. Il tend la main droite.
18. Puis il fait un serment.
19. Alors sa femme a peur.
20. Elle réfléchit beaucoup.
21. Finalement elle va trouver le professeur Lavarenne.
22. Elle lui demande de venir.
23. Si le professeur le veut, il peut téléphoner un matin.
24. Il y a une chambre d'ami qui communique avec la salle de bains.
25. Il est possible de surveiller le malade.

XI. Employez les mots suivants pour raconter une crise de Charles:

Le matin, il parler tout seul, se raser. Quelquefois, il s'enrouler, robe de chambre... couverture, et il parler, parler, on dire, prêcher. Il se draper, quelque chose. Après ces accès, il être normal. Ses crises durer trois ou quatre minutes. Elles s'achever, même manière. Charles brandir, premier objet qui lui tomber, sous, main et donner, coups, vide. Ensuite, épuiser, il boire, verre d'eau et, finir.

(Deuxième partie)

Répondez sur le modèle indiqué:

I. A-t-il bien entendu?

® *Réponse:* Il n'était pas sûr d'avoir bien entendu.

1. A-t-il mal compris?
2. A-t-il tout noté?
3. A-t-il bien joué son rôle?
4. A-t-il vraiment détruit le froc?
5. A-t-il agi assez vite?

II. Est-il descendu assez vite?

® *Réponse:* Il n'était pas sûr d'être descendu assez vite.

1. Est-il déjà allé au salon?
2. Est-il vraiment devenu riche?
3. Est-il resté dans son rôle?
4. Est-il sorti assez lentement?
5. Est-il entré sur la pointe des pieds?

III. S'est-il habillé tout de suite?

® *Réponse:* Il n'était pas sûr de s'être habillé tout de suite.

1. S'est-il regardé dans la glace?
2. S'est-il bien examiné?
3. S'est-il agenouillé?
4. S'est-il fait prendre?
5. S'est-il vraiment attardé?

IV. Examen sur les exercices précédents.

®

1. S'est-il identifié à Ravaillac?
2. A-t-il bien mûri son projet?
3. Est-il tombé dans l'eau?
4. S'est-il levé pour appeler?
5. A-t-il voulu appeler?
6. Est-il alors descendu?
7. S'est-il bien fait comprendre?

8. A-t-il assez lu?
9. S'est-il réellement pris pour Charlotte Corday?
10. A-t-il été pris d'un malaise?

V. Elle est désordonnée.
® *Réponse:* Ce qu'elle peut être désordonnée!
1. Elle est difficile.
2. Elle est mystique.
3. Elle est furieuse.
4. Elle est amère.
5. Elle est affreuse.
6. Elle est folle.
7. Elle est bizarre.
8. Elle est curieuse.

VI. Se prend-il pour un moine?
® *Réponse:* Il arrive qu'il se prenne pour un moine.
1. Se croit-il justicier?
2. Se conduit-il comme un fou?
3. Agit-il comme un fou?
4. Réfléchit-il?
5. Se perd-il dans les détails?
6. Sort-il?
7. Reconnaît-il sa femme?
8. Joint-il les mains?
9. Détruit-il son froc?
10. Boit-il de l'eau après ses crises?
11. Lit-il dans son bain?
12. Fait-il les commissions?

VII. Il a détruit le froc. Il a tué Henri IV.
® *Réponse:* Après avoir détruit le froc, il a tué Henri IV.
1. Il a suivi Juliette Maret. Le professeur est monté sur l'escabeau.
2. Il est monté sur l'escabeau. Il a attendu.
3. Elle a refermé la porte. Juliette est sortie.
4. Il a joint les mains. Maret a fermé les yeux.
5. Il s'est revêtu d'une robe. Il a dit quelque chose.
6. Il s'est baigné le visage. Il s'est observé dans la glace.

7. Il est sorti. Il est allé au bureau.
8. Il est revenu un autre jour. Le professeur a revu Maret.
9. Il a planté le couteau dans la robe. Maret l'a fendue.
10. Il l'a fendue. Il l'a jetée dans un coin.
11. Il s'est absorbé dans une méditation. Il a bu de l'eau.
12. Il a tâté ses poches. Il s'en est allé.

VIII. La curiosité était plus forte que le ressentiment.
Réponse: La curiosité l'emportait sur le ressentiment.
1. Les scrupules étaient plus forts que la curiosité.
2. Le délire était plus fort que la raison.
3. Les obsessions étaient plus fortes que l'intelligence.
4. La vocation de justicier était plus forte que la vocation d'employé.
5. Les impulsions homicides étaient plus fortes que les impulsions normales.
6. Le besoin de compensation était plus fort que le désir d'identification.

IX. Juliette referma la porte.
® *Réponse:* Il attendit que Juliette eût refermé la porte.
1. Juliette ferma les yeux.
2. Juliette s'installa dans un fauteuil.
3. Juliette se leva.
4. Juliette descendit.
5. Juliette s'en alla.
6. Juliette partit.
7. Juliette revint.
8. Juliette détruisit la robe.
9. Juliette fendit le tissu.
10. Juliette découvrit un moyen.

X. Employez les mots suivants pour raconter «L'opération Lavarenne» au passé:

Le plus difficile, rester, faire. Oncle André, rester vivant. Charles, ruminer, plan, depuis, semaines. Il, lire, quantité d'ouvrages, concerner, psychiatrie. Abuser, psychiatre, être possible. Si Charles, être convaincu, assassinat, être asile. Mais Charles, ne pas vouloir se faire prendre. Il, suffire, imaginer crime, qui, avoir apparences, de, accident ou de, suicide. Exemples, ne pas manquer. Oncles à héritage, discrètement pendre, ou empoisonner, il y en a presque, chaque page. Cependant, Charles hésiter. Noyade le tenter, beaucoup, et justement, oncle André, aimer s'attarder, son bain. Charles, mûrir projet. Ce qui retenir, Charles, dernier moment, être, propos, cet absurde professeur. Identification avec, mère... frustration... besoin, compensation... Cela, ne pas tenir debout, laisser comme, arrière-pensée.

XI. Répondez aux questions:

1. Comment Mme Maret a-t-elle convaincu le professeur Lavarenne de la vérité de son histoire avant même d'ouvrir la bouche?
2. Qu'est-ce que le concours à la radio indique au professeur?
3. Auriez-vous consenti à regarder Maret à travers une imposte? Pourquoi?
4. Comment les deux crises de Maret vues par Lavarenne augmentent-elles l'intrigue?
5. Les «propos absurdes» du professeur Lavarenne ont empêché Maret de faire le meurtre. Pourquoi?
6. Comment les auteurs se sont-ils servis de l'ironie?
7. Lequel des Maret est le meilleur acteur?
8. Quels détails de l'histoire sont les moins convaincants? Comment les auteurs les ont-ils présentés pour les rendre vraisemblables?

ANDRÉ MAUROIS

André Maurois, pseudonyme d'Émile Herzog, est né en 1885 de parents alsaciens établis en Normandie. Après de brillantes études, il travailla d'abord dans l'entreprise industrielle de sa famille. Durant la Première Guerre Mondiale il devint officier de liaison et interprète auprès de l'armée britannique et eut l'idée de raconter ses souvenirs sous une forme romancée. Le succès qu'il rencontra le décida alors à se faire homme de lettres. André Maurois est non seulement romancier; il est aussi essayiste et biographe de talent.

Dans le récit qui suit, Maurois met en relief certaines qualités qu'un homme doit posséder: le goût du risque, la confiance dans le succès.

*armistice** m. suspension des hostilités (le 11 novembre 1918)
*démobiliser** rendre un soldat à sa vie civile
*autoriser** donner la permission
quartier général m. lieu où se réunissent les officiers pour faire la guerre
défiler passer
maladroit mal à l'aise, gauche, qui manque d'adresse
solde f. l'argent que gagne un militaire
situation f. travail

1. Qui avait autorisé les commissions?
2. Que devait faire ces commissions?
3. De qui étaient composées ces commissions?
4. Où s'installaient ces groupes?
5. Qui défilait devant eux?
6. Que savaient faire les officiers démobilisés en général?
7. Que voulaient-ils gagner?
8. Pourquoi est-ce que personne ne les aidait?

La Partie de poker

® Quelque temps après l'armistice, le gouvernement anglais, dans le but de procurer des emplois à des officiers démobilisés, autorisa des commissions d'industriels et de commerçants à parcourir les armées. Ces groupes de vieillards riches s'installaient dans les quartiers généraux, et voyaient 5
défiler des jeunes gens aux joues roses, héroïques et maladroits. L'entretien était invariable:

«Que savez-vous faire?

—Rien.

—Que voulez-vous gagner? 10

—Au moins ma solde de capitaine.

—Vous n'avez pas de parents ou d'amis qui puissent vous trouver une situation?

—Si j'avais des parents pour le faire, je ne vous le demanderais pas. Mes amis me connaissent trop pour 15
m'employer.

décourager faire perdre courage
messieurs (pl. de *monsieur*)
la Couronne le gouvernement anglais
Cologne centre industriel d'Allemagne, sur le Rhin
en matière de en ce qui concerne
maison f. maison de commerce
Bordeaux port et centre industriel dans le sud-ouest de la France, connu pour ses vins
*représentant** m. employé qui représente une compagnie
Angleterre f. pays à l'ouest de la France, dont Londres est la capitale
Gironde f. département dont Bordeaux est la ville la plus importante
les bordeaux les vins de Bordeaux
nettement distinctement, clairement
Parlement m. corps législatif (d'Angleterre)
furent (p. simp. de *être*)
hôte m. invité
mena le jeu très dur et très cher les sommes d'argent étaient très élevées

1. Quel était le métier qui leur plaisait?
2. Que faisait la commission quand l'entretien était fini?
3. Qui payait les frais de voyage de ces vieux messieurs?
4. Quelle illusion avaient les ministres?
5. Dans quel pays se trouve la ville de Cologne?
6. Quel officier a été interviewé le premier?
7. Quelles connaissances spéciales avait-il?
8. Pour quelle maison a-t-il reçu une lettre de recommandation?
9. Que fallait-il faire pour commencer?
10. Pourquoi le lieutenant a-t-il accepté?
11. Quel poste le capitaine Cockell a-t-il refusé?
12. Qui était sir Henry Johnson?
13. Qu'a-t-il demandé au capitaine Cockell?
14. Dans quel hôtel sir Henry a-t-il reçu ses hôtes?
15. Qu'est-ce que le banquier a proposé à dix heures?
16. Qu'est-ce que Cockell a perdu d'abord?

®

—Quel est le métier qui vous plairait?

—Secrétaire d'un club de golf.»

La commission, découragée, prenait des notes et renvoyait l'officier avec des phrases vagues. Cette organisation n'était d'ailleurs pas tout à fait inutile. Elle procurait à quelques vieux messieurs l'occasion d'un voyage aux frais de la Couronne, et elle donnait aux ministres de celle-ci l'agréable illusion de s'être occupés du sort des combattants. 5

A Cologne, le premier officier qui se présenta pour être interviewé par la commission fut le lieutenant Little. 10

A la question: «Avez-vous des connaissances spéciales?» il répondit: «Oui, le champagne et le tabac.» Il ajouta avec plus de modestie: «Et je suis assez bon juge en matière de pipes.»

Sur quoi il reçut une lettre de recommandation pour une grande maison de Bordeaux, qui cherchait un représentant en Angleterre. 15

Il fallait pour commencer, passer trois mois dans la Gironde pour voir la culture des vins de Bordeaux et pour apprendre à goûter les vins. 20

«J'accepte, dit le lieutenant Little, parce que si je n'ai pas la place, j'aurai toujours eu les bordeaux.»

Le capitaine Cockell, qui vint après lui, artilleur au visage maigre, aux yeux durs, refusa nettement un poste médiocre dans une distillerie, et s'en allait assez sombre, quand sir Henry Johnson, banquier et membre du Parlement, le rappela et lui dit: 25

«Voulez-vous me faire, capitaine Cockell, le plaisir de venir avec nous, à notre hôtel?»

Sept officiers de différents régiments furent, ce soir-là, les hôtes de sir Henry, à l'hôtel d'Angleterre, à Cologne. 30

Vers dix heures, le banquier proposa une partie de poker, et tout de suite mena le jeu très dur et très cher. A onze heures, le capitaine Cockell perdait sa solde de trois mois et

*indemnité** f. compensation
*démobilisation** f. fait de rendre un soldat à la vie civile
coup m. l'argent qu'on met sur la table pour continuer à jouer au poker
rester en présence continuer de jouer, l'un en face de l'autre
*soda** m. eau chargée d'acide carbonique
*bluffer** faire du bluff
avoir un jeu avoir de bonnes cartes dans la main
as m. carte marquée d'une seule figure
ordonnance m. soldat qui sert de domestique à un officier
vint (p. simp. de *venir*)
*mess** m. réfectoire, grande salle à manger
Times grand journal anglais
Golden Line compagnie de transports maritimes
Southampton port d'Angleterre
Antilles f. pl. groupe d'îles (Cuba, Haïti, la Jamaïque, etc.)
culture f. action de travailler la terre et de faire pousser les plantes
canne à sucre* f. plante dont on extrait le sucre
sous-directeur m. celui qui a un poste sous celui de directeur
appointements m. pl. salaire fixe

1. Combien d'argent gagnait-il à minuit?
2. Quelle somme le capitaine était-il prêt à risquer?
3. Pourquoi le jeu n'a-t-il pas continué?
4. Qu'est-ce que sir Henry a demandé au capitaine Cockell avant son départ?
5. Quelle a été la réponse du capitaine?
6. Que faisait le capitaine le lendemain quand son ordonnance est venue le trouver?
7. Qui l'attendait au mess?
8. De quelle compagnie sir Henry était-il président?
9. Quelle offre a-t-il faite?
10. Quelle a été la réaction du capitaine à cette offre?
11. Quels étaient les appointments?
12. Pourquoi le capitaine a-t-il remercié sir Henry?
13. Selon le banquier, où juge-t-on bien un homme?

son indemnité de démobilisation. A minuit, il gagnait cinq cents livres. Sir Henry proposa un dernier tour. Le coup monta à mille livres. Le banquier et le capitaine Cockell restèrent seuls en présence. Cockell risqua tout.

«Deux mille livres...»

Sir Henry s'inclina.

«Je renonce...»

Il offrit encore un soda, et comme Cockell prenait congé:

«Capitaine Cockell, dit-il, il est probable que je n'aurai plus le plaisir de jouer avec vous, vous pouvez donc me dire la vérité. Ce dernier coup?... M'avez-vous bluffé, ou aviez-vous un jeu?» Le capitaine Cockell hésita, puis sourit.

«J'avais une main pleine, rois et as.»

Le lendemain matin, comme il inspectait ses canons, son ordonnance vint lui dire qu'un gentleman l'attendait au mess. Il y trouva son hôte de la veille, dans un fauteuil, lisant le *Times*.

«Good morning, Captain Cockell, j'espère que je ne vous dérange pas? J'ai une offre à vous faire... Je suis président de la Golden Line... Service de Southampton aux Antilles, culture des cannes à sucre, plantation de bananes. Il me faut un sous-directeur des achats pour les Antilles. C'est une grande affaire: vous conviendrait-elle?»

Le capitaine resta tout à fait calme et demanda:

«Appointements?

—Mille livres pour commencer, une maison, domestiques aux frais de la Compagnie.

—J'accepte, sir Henry... Et je vous remercie, car vous ne me connaissez pas.»

Le vieux gentleman plia son journal, se leva, et frappa sur l'épaule de l'officier.

«Vous êtes un grand joueur de poker, capitaine, et c'est là seulement qu'on juge bien un homme. Il y faut les deux

malchanceux qui n'a pas de chance
dé m. petit cube marqué de points servant à jouer
*déformé** mal fait
*dissimuler** cacher
*agence** f. bureau d'une entreprise commerciale
tremblement m. action de trembler. Ex. Un tremblement de terre a détruit San Francisco en 1906.
sain et sauf qui n'a pas été blessé
suis tombé, attends style télégraphique: Je suis tombé, J'attends

1. Quelles vertus faut-il avoir au poker?
2. Quels compliments sir Henry a-t-il faits au capitaine?
3. Qu'annonçait un télégramme six mois plus tard?
4. Qu'espérait le secrétaire de la Golden Line?
5. Qu'a dit sir Henry au sujet de Cockell?
6. Que disait le deuxième télégramme?
7. Quelle a été la réponse de sir Henry?

vertus essentielles: la chance et le caractère. Moi, je n'aime pas les êtres malchanceux. Quand un dé retombe toujours sur le même côté, c'est qu'il est déformé. Un homme aussi. Mais la chance, sans caractère, est une fortune jetée par la fenêtre... Vous savez attendre l'occasion, prendre un risque, 5 dissimuler votre pensée; vous êtes un homme... C'est la Golden Line qui me doit des remerciements.»

Six mois plus tard, un télégramme de l'agence America annonçait un tremblement de terre aux Antilles.

«J'espère, dit le secrétaire de la Golden Line, que le 10 directeur Howard et le sous-directeur Cockell sont sains et saufs.

—Je suis tranquille pour Cockell», dit sir Henry Johnson.

En effet, deux heures plus tard, arrivait un télégramme de lui: «Hôtel de la Compagnie détruit. Directeur Howard 15 tué. Suis tombé du deuxième étage dans son bureau. Attends vos ordres.»

Sir Henry écrivit la réponse et la tendit à un employé; elle était brève:

«Restez-y.» 20

Exercices

Répondez sur le modèle indiqué:

I. J'ai besoin d'un sous-directeur.
® *Réponse:* Il me faut un sous-directeur.
1. J'ai besoin d'une ordonnance.
2. Nous avons besoin d'un directeur.
3. Vous avez besoin d'une pipe.
4. Elle a besoin d'un bureau.
5. Ils ont besoin d'un journal.
6. Tu as besoin d'un fauteuil.
7. Il a besoin de la lettre.

II. Il lui demande s'il l'a bluffé.
® *Réponse:* M'avez-vous bluffé?
Il lui demande s'il...
1. lui a souri.
2. lui a tout dit.
3. l'a vu.
4. l'a accepté.
5. l'a rappelé.
6. l'a compris.
7. lui a envoyé la lettre.
8. lui a écrit une lettre.

III. Dites-lui de venir avec nous.
® *Réponse:* Voulez-vous me faire le plaisir de venir avec nous?
Dites-lui...
1. de jouer avec nous.
2. de rester avec nous.
3. de goûter ce vin.
4. d'aller avec nous.
5. de monter avec nous.
6. de voyager avec nous.

IV. Vous êtes expert en pipes?

® *Réponse:* Je suis assez bon juge en matière de pipes.

Vous êtes expert en...

1. vins?
2. champagnes?
3. canons?
4. cultures?
5. sodas?
6. journaux?

V. Ce métier ne me plaît pas.

® *Réponse:* Quel est le métier qui vous plairait?

1. Ce banquier ne me prend pas.
2. Cet employé ne m'attend pas.
3. Cette offre ne me convient pas.
4. Cet officier ne me reçoit pas.
5. Cet homme ne me comprend pas.
6. Ce directeur ne me renvoie pas.

VI. Ils se sont occupés des combattants.

® *Réponse:* Ils ont l'illusion de s'être occupés des combattants.

1. Ils se sont occupés des officiers.
2. Ils se sont occupés des représentants.
3. Il s'est occupé des lieutenants.
4. Elle s'est occupée des secrétaires.
5. Nous nous sommes occupés des ordonnances.
6. Vous vous êtes occupé du mess.
7. Tu t'es occupé des canons.
8. Je me suis occupé des soldats.

VII. Il s'en va. Le banquier le rappelle.

® *Réponse:* Il s'en allait quand le banquier l'a rappelé.

1. Il lit. L'officier l'appelle.
2. Il prend des notes. L'ordonnance annonce le capitaine.
3. Il est au mess. Le banquier l'invite.

4. Il parcourt les armées. Il reçoit une lettre.
5. Il fait sombre. Il sort.
6. Il prend congé. On lui demande quelque chose.

VIII. Hôtel de la Compagnie détruit.
Réponse: L'Hôtel de la Compagnie a été détruit.
1. Bureaux détruits.
2. Lettre envoyée.
3. Directeur tué.
4. Ordres donnés.
5. Capitaine Cockell démobilisé.
6. Journaux jetés.

IX. S'il a des parents, il ne demandera pas la situation.
® *Réponse:* S'il avait des parents, il ne demanderait pas la situation.
1. S'il comprend, il ne prendra pas de notes.
2. S'il reçoit une lettre, il n'écrira plus.
3. S'il va au mess, il n'aura plus de champagne.
4. S'il est malchanceux, il n'ira pas au mess.
5. S'il prend des risques, il ne gagnera peut-être pas.
6. S'il dit non, il ne sera pas ici.

X. Complétez les phrases en vous servant des indications données dans le texte.
1. Les commissions parcouraient les armées dans le but...
2. L'organisation donnait aux ministres de la Couronne l'illusion...
3. Le lieutenant Little a accepté d'aller dans la Gironde parce que...
4. Si Cockell a tout risqué à minuit, c'est qu'il...
5. Sir Henry a proposé à Cockell le poste de...
6. Selon sir Henry, pour être grand joueur de poker, il faut...
7. Être un homme, selon sir Henry, c'est...
8. Le télégramme annonçait que...

FRED BÉRENCE

Malgré son grand talent, Fred Bérence est peu connu du public. Nous reproduisons ici un de ses récits de guerre où le mouvement dramatique est particulièrement réussi. A l'époque où se place ce récit, époque sombre des années 1940, la partie nord de la France était occupée par les Allemands. Pour être à l'abri des autorités allemandes, il fallait traverser la ligne de démarcation. Le personnage nommé Jean est un prisonnier de guerre français évadé que Louis va faire passer dans la zone libre.

prêter l'oreille écouter avec attention
détaler partir en courant, en hâte
croûton m. petit morceau de pain
avoir beau faire des efforts en vain
sucer attirer avec les lèvres. Ex. Le bébé suce son pouce.
goulot m. col, bouche
gourde f. flacon où on met un liquide
orge f. céréale qu'on peut griller pour en faire une sorte de café

1. Qu'a fait l'homme en s'arrêtant?
2. Qu'est-ce qu'il a entendu au loin?
3. Qu'est-ce qui a craqué devant lui?
4. Quel animal avait fait ce bruit?
5. Quand se lèverait la lune?
6. Que devait-il avoir fait une heure plus tard?
7. Quel cauchemar répétait-il depuis son enfance?
8. Qu'est-ce qui commençait à le tourmenter?
9. Pourquoi a-t-il tâté ses poches?
10. Pourquoi aurait-il beau sucer le goulot de sa gourde?

La Maison du Louis

I

Il s'arrêta, porta la main à son cœur, prêta l'oreille. Au loin, un chien aboyait furieusement; à quelques pas des branches craquèrent. Il se laissa tomber à genoux sur le sol et, l'épaule appuyée contre un arbre, attendit que le bruit se précisât. Un animal détalait, impossible de préciser sa silhouette en cette nuit noire. Dans une heure, au plus tard, la lune se lèverait. Il fallait qu'alors il eût traversé la forêt, coupé la route, atteint la rivière. Mais ne s'était-il pas égaré? N'aurait-il pas tourné en rond comme dans ce cauchemar qui se répétait depuis son enfance? Il récapitula le chemin parcouru. Oui, il avait suivi exactement les indications données, du moins, il en avait l'impression. La soif, la faim commençaient à le tourmenter. Il tâta ses poches; non, pas le moindre croûton de pain, il aurait beau sucer le goulot de sa gourde, il n'y trouverait plus une seule goutte de café d'orge.

craquelé   plein de petites ouvertures longues
effluve m.   odeur, arôme
se soustraire à   se préserver de
présumer de   compter sur
sourd   peu sonore
s'emparer   saisir
floconneux   comme des flocons de neige
cricri m.   bruit que font certains insectes
grillon m.   insecte sauteur qui aime être près du feu en hiver
grelot m.   sorte de petite cloche ronde
cristallin   qui sonne comme du cristal
reinette f.   petite grenouille qui chante le soir au printemps
hululement m.   cri du hibou, oiseau nocturne
rauque   rude, âpre
molosse m.   gros chien de garde
grimper   monter en employant les mains et les pieds
buisson m.   groupe d'arbustes (petits arbres)
se hisser   s'élever avec effort
chêne m.   sorte d'arbre dont le bois est très dur
en guise de   à la place de
battre la chamade   battre rapidement (à cause de la peur)
meute f.   groupe de chiens de chasse
aux aguets   avec une très grande attention
chair f.   substance du corps. Ex. Les muscles sont en chair.
morsure f.   action de mordre. Ex. Ce chien a fait une morsure avec ses dents.

1. Comment avait été la journée?
2. Qu'est-ce qui paralysait sa volonté et son énergie?
3. Comment battait son cœur?
4. Depuis quand n'avait-il plus peur?
5. Que faisait-il en face d'un danger?
6. D'où s'était-il évadé?
7. Quels sont les bruits qu'il a entendus alors?
8. Où a-t-il collé son oreille?
9. Avec quoi allait-il se défendre?
10. Pourquoi les sentinelles étaient-elles dangereuses?
11. Que pouvait faire l'homme évadé?
12. Sur quoi s'est-il hissé?
13. Pourquoi son cœur s'est-il calmé?
14. Qu'est-ce qui ne l'effrayait pas?

La Maison du Louis

Toute la journée, la chaleur avait été torride. De la terre craquelée montaient des effluves lourds qui paralysaient la volonté, l'énergie et jusqu'au désir de se soustraire à un sort malchanceux. Décidément, il avait trop présumé de ses forces. Jamais encore son cœur n'avait battu avec une telle précipitation, à coups sourds qui lui montaient dans la gorge. Presque au but, allait-il avoir peur? Depuis son enfance, il ignorait ce sentiment; il envisageait risques et dangers la tête froide, puis les évitait ou les affrontait délibérément. N'était-ce pas d'ailleurs la raison pour laquelle il s'était évadé d'un camp de prisonniers, en Allemagne? Cependant, comment expliquer la panique qui s'emparait de lui?

Des images floconneuses, semblables aux fantômes qui s'approchent au début des rêves, passaient devant ses yeux. Il les ferma. Aussitôt les bruits se firent plus distincts, cricris des grillons, grelots cristallins des reinettes, hululements des hiboux et, cette fois il en était certain, le pas d'un homme sur le sentier. Il colla son oreille contre le sol, il lui semblait entendre la respiration rauque d'un chien. Au loin, les aboiements se taisaient. Il serra son revolver, décidé à se défendre. Les sentinelles, on l'avait mis en garde, étaient accompagnées de molosses impitoyables et tiraient à la moindre alerte.

Fuir? Grimper sur un arbre? Se cacher dans un buisson? D'épais nuages passaient à ce moment dans le ciel. Aurait-il encore la force de se hisser sur la première branche du chêne qui l'abritait? En guise de réponse, il y grimpait. Installé au sommet du tronc, il constata que son cœur subitement avait cessé de battre la chamade. Il n'était plus la bête traquée par une meute de chiens mais le chasseur aux aguets. Trop d'images atroces demeuraient en ses yeux pour qu'il cherchât à les évoquer. Si la mort ne l'effrayait pas, il redoutait dans ses chairs la morsure des chiens, les

tenailles f. pl. outil pour tenir quelque chose; douleurs
cravache f. baguette dont on se sert pour faire marcher un cheval
talon m. partie postérieure d'un soulier. Ex. Comme le talon du soulier de cette femme élégante est haut!
demi-botte f. botte qui s'arrête à mi-jambe, portée par les soldats
épingle f. petite tige métallique dont un bout est pointu. Ex. On peut fixer une photo au mur avec une épingle.
ongle m. partie cornue au bout des doigts. Ex. Les femmes élégantes ont de longs ongles.
bruissement m. bruit faible, confus de feuilles
s'éparpiller se disperser
clapotis m. bruit des vagues qui frappent un objet. Ex. J'aime entendre le clapotis de l'eau contre le bateau.
plage f. bord de mer couvert de sable (ou de galets). Ex. Elles prennent des bains de soleil sur la plage.
galet m. caillou rond, poli par l'action de la mer
s'écarter s'éloigner, se séparer
sillonner laisser des traces longitudinales, faire des sillons
tassé court
trapu gros et court
*dilater** ouvrir largement
crispé tendu par l'émotion
bouffée f. quantité d'air
se rassurer se rendre confiant
japper aboyer (d'un petit chien)
fureter chercher, fouiller
manège m. action, conduite
feindre faire semblant
enroué rauque, rude
marauder voler des fruits, des légumes
garde-toi bien de lui faire du mal fais bien attention de ne pas lui faire du mal
gué m. endroit où on peut passer la rivière sans nager

1. Quelle sorte de tortures redoutait-il?
2. Pourquoi son souffle ne le trahissait-il pas?
3. Qu'est-ce qu'il a vu à l'horizon?
4. Comment était l'ombre de l'homme sur le sentier?
5. L'homme était-il seul ou accompagné?
6. Qu'est-ce qu'on avait dit à Jean à propos des sentinelles ennemies?
7. Qu'est-ce que le chien s'est mis à faire?
8. Qu'a fait alors Jean en se croyant perdu?
9. Que feignait l'homme?
10. Comment s'appelait le chien?
11. Quelle question ironique l'homme a-t-il posée à son chien?
12. Pourquoi le chien ne devait-il pas aboyer?
13. A qui ne devait-il pas faire de mal?
14. Où conduisait le chemin connu de Néron?

tenailles de la cravache, les talons des demi-bottes et les épingles sous les ongles. Les pas d'ailleurs se rapprochaient. Une brise s'éleva, agita les feuilles d'un long frisson et leur bruissement s'éparpillait comme le clapotis des vagues sur une plage de galets. Il pouvait respirer sans craindre que son souffle le trahît. Au même instant, des nuages s'écartèrent, une étoile brilla, des éclairs sillonnèrent l'horizon.

Sur le sentier, l'ombre surgit, tassée, trapue, massive; impossible de distinguer s'il s'agissait d'un militaire ou d'un civil. Les yeux dilatés, l'oreille tendue, le corps crispé, Jean cherchait à le deviner. Un chien accompagnait l'homme mais il était seul. Jean aspira une bouffée d'air. On lui avait affirmé que les sentinelles ennemies faisaient toujours leur ronde à deux et ne se quittaient jamais. Il commençait à se rassurer lorsque le chien se mit à japper, à fureter et vint gratter le tronc du chêne. Se croyant perdu, Jean sortit son revolver. L'homme toutefois ne paraissait pas s'apercevoir du manège de la bête ou, chose plus inquiétante, feignait ne pas s'en apercevoir. Le chien courut vers lui, aboya faiblement puis revint vers l'arbre en bondissant contre le tronc.

Cette fois, l'homme s'arrêta et dit à mi-voix, mais très distinctement: «Tranquille, Néron, depuis quand les lapins se réfugient-ils dans les chênes?»

Le chien écouta le discours de son maître, puis recommença à japper. L'homme s'approcha de l'arbre, interpella le chien d'une voix de basse loyale et enrouée:

—Voyons, voyons, pourquoi aboies-tu ainsi? Tu vas alerter les sentinelles ennemies. Tais-toi. S'il y a un maraudeur, laisse-le marauder et s'il y a, par hasard, dans le feuillage de ce chêne un brave compatriote qui cherche à passer la ligne de démarcation, garde-toi bien de lui faire du mal. Tu le connais, mon vieux Néron, le chemin qui conduit au gué.

gascon de Gascogne, ancienne province dans le sud-ouest de la France
qu'il descende (impératif)
rugueux âpre au toucher, dur
tranche f. Ex. Il faut deux tranches de pain pour faire un sandwich.
mélanger mettre ensemble. Ex. Pour faire du café au lait, il faut mélanger le café et le lait.
faux frère m. traître
fourré m. endroit très épais d'un bois

1. Avec quel accent parlait l'homme?
2. Qu'a fait Jean en entendant la proposition de l'homme?
3. Comment est-il descendu de l'arbre?
4. Comment le chien a-t-il manifesté sa joie?
5. Quel ordre lui a donné son maître?
6. Qu'est-ce que l'homme a donné à Jean qui avait faim?
7. Depuis combien de temps Jean n'avait-il pas mangé?
8. Depuis quand était-il parti?
9. A qui appartenait la maison qu'il cherchait?
10. Comment Louis aidait-il la chance?
11. Que devait faire Jean si Louis levait le bras?

Cette fois, Jean ne pouvait plus en douter, l'homme lui proposait son aide. En plus, il reconnaissait l'accent gascon, cher à ses oreilles. Il se décida à risquer l'aventure et, prenant, à son tour, l'accent du pays, il se pencha et dit d'une voix étouffée:

—En effet un compatriote cherche à passer la ligne.

—Qu'il descende et il la passera.

Jean se laissa glisser le long du tronc. Dès qu'il toucha terre, l'homme lui tendit une main rugueuse et le chien manifesta sa joie en mettant les pattes sur les épaules de Jean, pas tout à fait rassuré.

—C'est bon, c'est bon, dit l'homme, assez de flatteries; file en avant et, si tu vois quelque chose de suspect, avertis-nous.

Le chien obéit docilement. L'homme demanda au fugitif s'il avait faim et, sur sa réponse affirmative, lui donna deux tranches de pain beurré, lui passa sa gourde contenant du vin mélangé d'eau. Jean, après avoir bu quelques gorgées, rendit la gourde en disant:

—C'est bon!

—Il y a longtemps que vous n'avez pas mangé?

—Plus de vingt-quatre heures.

—Vous venez de là-bas?

—J'en viens.

—Parti quand?

—Depuis plus de trois semaines.

—Ah! Et vous cherchez la maison du Louis?

—En effet.

—Le Louis, c'est moi.

—Quelle chance!

—J'aide un peu la chance en me promenant sur ce sentier où l'on risque de s'égarer ou de rencontrer, depuis un certain temps, ces messieurs avertis par quelque faux frère. Si je lève le bras, jetez-vous dans un fourré et n'en bougez pas jusqu'à ce que je vienne vous reprendre.

marécage m. terrain humide
paume f. partie intérieure de la main
teinte f. couleur
se franger avoir des franges (bords)
bourdonnement m. bruit que fait le vol des insectes
chouette f. oiseau nocturne
glapir crier
ameuter soulever, agiter
jaillir sortir brusquement
entrelacer enlacer l'un dans l'autre. Ex. Les amoureux regardent la lune, les mains entrelacées.
menacer faire craindre, mettre en danger
à découvert non couvert, sans la protection des arbres pour cacher les hommes
lisière f. bord de forêt
grondement m. bruit fort que fait la chute d'eau
haleter respirer avec oppression
s'entrebâiller ouvrir un peu
C'est-y toi c'est toi
chaînette de sûreté petite chaîne avec laquelle on ferme la porte

1. Que faisait Louis quand il y avait un tronc ou un ruisseau à franchir?
2. A qui Jean pensait-il en s'abandonnant à son guide?
3. Comment est devenu le ciel tout à coup?
4. Comment l'homme a-t-il appelé son chien?
5. Comment Jean et Louis devaient-ils franchir les 300 mètres à découvert?
6. Où se trouvaient les deux hommes quelques minutes plus tard?
7. Comment s'appelait la femme de Louis?
8. Avec quoi était fermée la porte?
9. Pourquoi Louis a-t-il fait flamber une allumette?
10. Comment étaient les gestes de l'homme et de la femme?

Ces précautions, heureusement, furent inutiles. Jean suivait la haute stature carrée de l'homme qui coupait maintenant à travers bois. De temps à autre, il se retournait pour lui tendre la main afin de l'aider à franchir un tronc, un ruisseau, un marécage. Jean était tellement fatigué qu'il glissait sa paume dans cette main tiède et, paupières closes, s'abandonnait à son guide comme autrefois, petit enfant, à la protection de son père.

Soudain, les nuages prirent une teinte claire, puis bleuâtre, se frangèrent d'argent et, presque aussitôt, de partout, un bourdonnement confus s'éleva. Des chouettes glapirent, des branches craquèrent, le vent, une fois de plus, ameutait la forêt. Brusquement, la lune jaillit, révélant un monde d'ombres souples, entrelacées, menaçantes.

L'homme s'arrêta, siffla très doucement. Le chien accourut en remuant la queue.

—Bon, dit l'homme, on peut y aller, mais au pas de course.

Il examina le ciel, ajouta:

—La lune va se recacher dans un instant. Attendons. Nous avons encore 500 mètres, dont 300 à découvert. Dès que je me mettrai à courir, suivez-moi.

Ils s'avancèrent prudemment d'arbre en arbre, jusqu'à la lisière de la forêt. Au loin, Jean entendait le grondement d'une chute d'eau. Enfin, la lune disparut.

Quelques minutes plus tard, les deux hommes se trouvaient haletants devant la porte d'une ferme qui s'entrebâilla avec prudence.

—C'est-y toi, mon homme?

—Allons, la Rose, ouvre.

Une chaînette de sûreté tomba. Les deux hommes entrèrent dans le noir. La porte fermée, barricadée, l'homme fit flamber une allumette. La femme se hâta vers la table, y prit une lampe à pétrole qu'elle présenta à son mari.

Jean devinait que ces gestes, presque rituels, remplaçaient

déchiffrer découvrir, comprendre ce qui n'est pas clair
tison m. morceau de bois qui brûle sans flamme
luire avoir des reflets de lumière
cafetière f. récipient qui sert à faire du café
dépourvu sans
râtelier m. meuble où on garde les assiettes
faïence f. poterie de terre vernissée
torpeur f. état de paralysie momentanée due à la fatigue
bien en chair un peu grosse
la cinquantaine âgé d'environ cinquante ans
saucisson m. grosse saucisse (viande hachée, entourée d'une enveloppe cylindrique). Ex. Elle nous sert des tranches de saucisson comme hors-d'œuvre.
à l'écart à part
éclairage m. lumière
être à son avantage être à son mieux
yeux en amande yeux qui ont une forme allongée comme celle d'une amande (fruit)

1. Sur quoi la femme a-t-elle soufflé?
2. Qu'est-ce qu'il y avait sur le foyer?
3. Q'est-ce que la femme a pris sur le râtelier?
4. Où s'était assis Jean?
5. Pourquoi ses paupières se fermaient-elles?
6. Comment était la femme?
7. Quel âge avait Louis?
8. Qu'est-ce que les deux hommes ont mangé?
9. Que faisait la femme pendant ce temps-là?
10. Pourquoi Jean pouvait-il faire une mauvaise impression sur la femme?
11. Qu'est-ce qu'on lui avait souvent dit à propos de sa personne?

mille formules de politesse ou d'affection et suivait déjà les ombres avec sympathie, curieux de déchiffrer sur les visages une réalité qui confirmerait les gestes.

La pièce éclairée d'une lueur rougeâtre, la femme se pencha vers le foyer, souffla sur les tisons où luisait une cafetière en cuivre, puis, à pas lents, lourds, avec une nonchalance non dépourvue de noblesse, elle se dirigea vers le râtelier où elle choisit deux assiettes en faïence, deux bols qu'elle plaça sur la table.

La tête entre les mains, les coudes sur la table, son mari la regardait aller et venir. Jean, lui, s'était laissé tomber sur le banc, vis-à-vis de l'homme. Une torpeur bienfaisante l'envahissait et ses paupières, de nouveau, se fermaient. Il constata, presque inconsciemment, que la femme était blonde, bien en chair, plus jeune que l'homme, dont la barbe grise et les rides révélaient la cinquantaine.

—Il faut manger, dit le Louis.

Du pain, du beurre, un saucisson et le café fumant que lui versait la femme réveillèrent la faim et la curiosité de Jean. Il mangea silencieusement avec l'homme, tandis que la femme, assise un peu à l'écart, hors de l'éclairage de la lampe, les observait.

Soudain, Jean vit s'allumer dans ses yeux une lueur verdâtre. Il comprit qu'elle l'examinait attentivement. Pas rasé depuis trois jours, mal peigné, mal vêtu d'un costume de paysan, il n'était, certes, pas à son avantage. Mais il se savait bien bâti, grand, carré d'épaules et ses yeux bleus en amande, on le lui avait dit maintes fois, brillaient comme deux étoiles. Sans être fat, il ne s'étonna donc pas d'être l'objet d'une sollicitude à laquelle il était plus ou moins habitué.

calleux dur et épais
dédommager donner une compensation

1. Qu'a fait la femme tout à coup?
2. Combien de fugitifs Louis avait-il déjà fait passer de l'autre côté?
3. Comment Jean voulait-il montrer sa reconnaissance?
4. Que voyait Louis malgré les vêtements de Jean?

II

Tout à coup, la femme se leva, se dirigea vers la porte, l'ouvrit et demeura absente pendant un instant. L'homme en profita pour interroger son hôte:

—Vous êtes du pays?

—De Blairac. A propos, je voudrais bien vous témoigner ma reconnaissance pour... 5

L'homme étendit sous la lampe sa grosse main calleuse:

—Pas un mot à perdre. Je suis heureux de pouvoir vous être utile. Vous êtes le vingtième depuis six semaines.

—Raison de plus pour vous dédommager, je le puis... 10

—Je vois bien, malgré vos vêtements, que vous êtes un monsieur. Mais, j'ai mon orgueil à moi. Si vous êtes de Blairac, vous devez connaître les Régnier?

—Un peu.

La porte s'entr'ouvrit. La femme reparut. Les deux 15

tournée f. voyage d'inspection
le petit jour la première lumière du jour
provocant qui excite, qui attaque
pressentir prévoir d'une façon vague, deviner
traquenard m. ce qui sert à attraper quelqu'un
étui m. sorte de boîte

1. Quelle sorte de sourire avait Rose en revenant?
2. Pourquoi valait-il mieux attendre le petit jour selon Rose?
3. Pourquoi Jean l'a-t-il regardée avec surprise?
4. Qu'est-ce que Rose a fait derrière lui?
5. Où s'est-elle placée après avoir bu son café?
6. Comment Jean devait-il profiter des quatre heures qui restaient?
7. A quelle condition Jean était-il prêt à le faire?
8. A quel moment Jean a-t-il pâli?
9. Qu'a-t-il pensé en voyant l'expression farouche de la femme?
10. Qu'est-ce qu'il a alors sorti négligemment?

hommes se tournèrent machinalement vers elle. Un sourire mauvais plissait ses lèvres.

—La lune brille, dit-elle, les nuages s'en vont. Les autres sont en train de faire leur tournée; il vaudrait mieux attendre le petit jour. 5

Jean la considéra avec surprise, sa voix avait quelque chose de moqueur, de presque provocant, qui lui parut renforcer le sourire.

Son mari la regarda avec insistance:

—Tu n'as rien vu? 10

Elle secoua la tête, se dirigea vers la cheminée, se versa un bol de café qu'elle but debout, à petites gorgées, derrière le jeune homme qui l'entendait respirer lourdement.

Quand elle eut terminé, elle posa son bol sur la table, puis, poings sur les hanches, vint se placer près de son 15 mari. Jean s'aperçut alors que ses lèvres remuaient comme si elle cherchait à réprimer des paroles qui venaient mal. Enfin, elle mit une main sur l'épaule du Louis et dit d'une voix rauque en ne quittant pas le jeune homme des yeux.

—Vous devriez profiter des quatre heures qui vous restent 20 pour dormir un peu.

—Je veux bien, à condition de ne pas vous déranger.

—Nous déranger, monsieur Jean, vous vous moquez de nous!

Le jeune homme, en s'entendant appeler par son nom, 25 se dressa et pâlit. Le visage de la femme s'était dangereusement éclairci. Entre ses yeux jaunes et ses lèvres serrées rôdait une expression farouche.

Jean pressentit qu'au moment où il croyait échapper à la fatalité il venait de tomber dans un traquenard, savamment 30 organisé. Comme toujours, en face du danger, un souffle chaud parcourut sa poitrine, lui rendit à la fois l'énergie, la lucidité et la résignation. Il jeta un coup d'œil sur l'homme, sortit négligemment un étui à cigarettes en or, échappé à la

maquiller couvrir
vernis m. substance liquide qui devient dure rapidement et qui protège le bois. Ex. Cette femme se met du vernis aux ongles.
convoitise f. désir ardent
potelé gras, arrondi
d'autant plus dans une plus grande proportion
complaisance f. obligeance, disposition à plaire
Chandeleur f. fête catholique du 2 février où l'on bénit les chandelles
froncer rider, faire des plis; *froncer les sourcils* montrer son mécontentement
broussailleux épais, comme des plantes et des épines entremêlées
emportement m. colère brutale
s'assombrir devenir sombre
c'est-y bien vrai? C'est bien vrai?
issue f. moyen de sortir de l'embarras, solution
feint simulé: «Je n'ai rien de commun avec ces gens-là!» Citation de la Bible. St. Pierre a feint de ne pas connaître le Christ et de ne pas être Galiléen.
soupir m. respiration forte qui exprime la joie ou le regret. Ex. Elle va pousser des soupirs quand son fils partira!
soulagement m. diminution d'anxiété ou de douleur. Ex. L'étudiant sent un grand soulagement après les examens.
être beau joueur savoir perdre avec le sourire
cendré couleur de cendre, grisâtre

1. Pourquoi cet objet n'avait-il pas été confisqué?
2. Que voulait voir Jean en offrant une cigarette?
3. Qu'est-ce que Louis lui a tendu pour allumer la cigarette?
4. Quelle question Louis a-t-il alors posée à Rose à propos de leur hôte?
5. Depuis combien de temps Rose connaissait-elle monsieur Jean?
6. Depuis combien de temps ne l'avait-elle plus vu?
7. De quoi Rose se plaignait-elle d'être appelée?
8. Qu'a fait l'homme en voyant pleurer sa femme?
9. Quelle question a-t-il posée à Jean?
10. Quelle sorte de réponse souhaitait-il?
11. Pourquoi Jean n'a-t-il pas fait de mensonge?
12. De quoi se souvenait-il maintenant?

confiscation parce qu'il l'avait habilement maquillé de vernis noir, offrit une cigarette. Le visage de l'homme demeurait impassible. Pas trace de convoitise, ni dans son regard, ni dans le geste de la main qui prenait la cigarette. Il fit flamber une allumette, la tendit à Jean qui se disposait 5
à fumer aussi et qui la lui rendit avant qu'elle fût éteinte.

L'homme tira tranquillement une bouffée puis tourna le visage vers sa femme et, d'une voix où perçait à peine la surprise:

—Tu connais donc notre hôte? 10

Elle s'assit à côté du Louis, posa les bras croisés devant elle; nus jusqu'au coude, ronds, potelés, à peine basanés, ils paraissaient d'autant plus provocants que leurs poils blonds luisaient à la lueur de la lampe. Elle les regarda avec complaisance, puis, brusquement, d'une voix âpre: 15

—Si je connais monsieur Jean? Oui, depuis plus de quinze ans. Il y a dix ans que je ne l'ai plus vu, dix ans à la Chandeleur. Mais on n'oublie pas les fils Régnier, surtout quand on s'appelle Rose la voleuse.

Elle s'arrêta, grimaça un sourire, mais des larmes jaillirent 20
au coin de ses orbites. L'homme fronça des sourcils broussailleux, signe de bonté mais aussi d'emportement; Jean le savait. Les yeux clairs s'assombrirent, il demanda d'un ton qui s'efforçait, visiblement, de demeurer calme:

—C'est-y bien vrai? Vous êtes un des fils Régnier? 25

Jean comprit qu'une issue s'offrait à lui. L'homme souhaitait qu'il mentît. Il se sentait parfaitement capable de déclarer avec une conviction feinte: «Je n'ai rien de commun avec ces gens-là.» La femme hésiterait et l'homme réprimerait un soupir de soulagement. Il en était sûr. 30

Il en était sûr, mais il détestait le mensonge et il était beau joueur. En outre, il se souvenait maintenant très bien d'avoir vu dans la maison paternelle une jeune femme de chambre nommée Rose. Il reconnaissait la teinte cendrée

sec maigre
minois m. visage gracieux d'enfant
sensible qui sent facilement
futé rusé, fin
broche f. bijou de femme muni d'une épingle
matelas m. objet épais qu'on met sur un lit pour mieux dormir. Ex. Il préfère un matelas assez dur pour dormir.
aîné le plus âgé
au premier au premier étage
voici cinq ans il y a cinq ans
école communale école élémentaire de ce village
en pleine récréation au milieu de la récréation. La récréation est la période de temps entre deux classes pendant laquelle les élèves jouent.
jaser critiquer, médire, trahir un secret
guet-apens m. endroit où on attrape sa victime
se débarrasser de faire partir ce qui gêne, ce qui embarrasse
mordiller mordre légèrement

1. Qui avait remplacé Rose un jour?
2. Qu'est-ce que sa sœur Thérèse lui avait expliqué?
3. Où avait-on retrouvé le bijou volé?
4. Quelle en a été la conséquence dans la vie de Rose?
5. Où était le fils de Louis et de Rose?
6. Qu'est-ce qu'on lui a crié un jour à l'école?
7. Qu'a fait alors le petit?
8. Qui était la fille?
9. Pourquoi Rose et Louis n'ont-ils plus rien entendu depuis?
10. Qu'est-ce que le fils ne pourrait pas oublier?
11. Qui Rose soupçonnait-elle d'avoir organisé le guet-apens?

de ses cheveux, la couleur de ses yeux et jusqu'à ses bras potelés aux poils blonds. Puis, un jour, en rentrant pour les vacances d'été, il ne l'avait pas retrouvée. Une fille sèche et anguleuse avait remplacé un minois agréable et souriant. Quoiqu'il n'eût guère qu'une quinzaine d'années, il avait été sensible à ce changement et en avait demandé la raison. Sa sœur Thérèse, la futée, lui répondit qu'on avait chassé Rose parce qu'on l'accusait d'avoir volé une broche très précieuse. Bien qu'elle eût obstinément nié, on avait cependant retrouvé le bijou cousu dans son matelas.

Jean se leva et dit d'un ton ferme:

—Je suis l'aîné des fils Régnier. Oui, Rose, je vous reconnais à mon tour.

L'homme posa la paume sur le bras de sa femme qui avait baissé la tête et dit d'une voix basse, en détachant chaque syllabe:

—Elle a été déshonorée pour toute sa vie. Nous avons un fils, monsieur, il dort, là, au premier. Or, voici cinq ans qu'à l'école communale, une gamine lui a crié, en pleine récréation: 'Eh, voilà le fils de Rose la voleuse!' Le petit, furieux, s'est battu avec elle. C'était la fille d'un ancien jardinier de vos parents. Je suis allé trouver l'instituteur, je lui ai raconté la chose et depuis, plus jamais, on n'a rien entendu... Mais les gens sont méchants, on ne peut pas les empêcher de jaser... Et puis, croyez-vous que mon fils puisse oublier qu'on a traité sa mère de...

Il ne termina pas, le mot terrible ne voulait pas franchir ses lèvres.

—Je vous assure, dit Jean, que j'ignorais l'innocence de Rose. Mais qui donc soupçonne-t-elle d'avoir organisé ce guet-apens?

—Je crois, je crois, répondit Rose, que c'était la gouvernante qui voulait se débarrasser de moi... à moins que...

Elle hésita, se mordilla les lèvres, puis, avec l'intention

porter un coup blesser, faire un coup
friser être sur sur le point de devenir
perfide déloyal
collet m. piège pour prendre les oiseaux, les lapins, etc.
cellier m. cave sous le rez-de-chaussée
retentir résonner
dalle f. tablette de pierre
convenu arrangé d'avance
il serait vite fixé il saurait bientôt
conseil de guerre m. assemblée qui délibère et qui rend la justice
fusillade f. décharge de fusils pour tuer un homme
âcre piquant, irritant
tonneau m. récipient de bois pour garder des liquides
fagot m. paquet de petites branches liées ensemble
balourd grossier, vulgaire
bafouillé prononcé indistinctement
remue-ménage m. bruit de chaises, etc., qu'on déplace

1. Comment a-t-elle porté un coup au jeune homme?
2. Quelle a été l'exclamation de Jean?
3. Qu'a-t-elle proposé comme réponse?
4. Qu'est-ce qu'on a alors entendu?
5. Qu'a fait la femme?
6. Qu'est-ce que l'homme a lancé sur la table?
7. Où a-t-il poussé Jean?
8. Qu'est-ce que Jean a entendu sur les dalles de la cuisine?
9. Pourquoi ne pourrait-il pas sortir du cellier?
10. Quel serait le jugement du conseil de guerre?
11. Quelles odeurs a-t-il senties?
12. Pourquoi les saucissons étaient-ils dissimulés?
13. Pourquoi ne pouvait-il pas deviner ce qui se passait en haut?

bien évidente de porter un coup au jeune homme, elle ajouta d'un ton caustique:

—A moins que ce ne soit Madame elle-même.

—Ma mère? Vous êtes folle!

Il se repentit aussitôt de son exclamation car l'homme fronça les sourcils et la femme dit d'un ton tellement poli qu'il frisait l'insolence:

—Je crois, monsieur Régnier, qu'il vaut mieux vous conduire immédiatement à la rivière.

Jean cherchait les paroles qui pourraient effacer sa malheureuse protestation lorsqu'on heurta violemment à la porte. La femme eut, de nouveau, un sourire perfide, jeta un coup d'œil sur Jean pour observer son attitude, constata qu'il demeurait impassible, puis se dirigea vers l'entrée avec un haussement d'épaules. L'homme ouvrit un tiroir, lança quelques collets sur la table et, pendant que Rose ôtait la chaînette de sûreté, il poussait Jean dans un cellier obscur.

A peine s'y trouvait-il qu'un bruit de bottes retentit sur les dalles de la cuisine. Le hasard voulait-il que les sentinelles fussent précisément dans les environs et que la lumière de la porte entr'ouverte par la femme les eût alertées ou bien cette lumière était-elle un signal convenu? Il n'y avait qu'à prêter l'oreille aux bruits et aux propos, il serait vite fixé.

Il examina le réduit. Pas la moindre issue. S'il plaisait à l'homme de le livrer—et pourquoi hésiterait-il à le faire après ce qui venait de se passer—le conseil de guerre était certain et non moins certain le jugement: la fusillade ou la déportation. Il aspira l'odeur lourde de pommes et de poires, distingua celle plus âcre d'un tonneau de vin, celle encore de saucissons, dissimulés, sans doute, derrière des fagots pour échapper aux réquisitions.

Des rires balourds, vite apaisés, des mots bafouillés à mi-voix, un remue-ménage de chaises ne permettaient pas

aigu clair, perçant
chuchotement m. action de parler bas à l'oreille
tâtonner chercher avec les mains
crissement m. bruit aigre
crochet m. fer recourbé
finaud fin, rusé
croc m. dent longue et pointue d'un animal
s'écouler passer
angoissant plein d'angoisse, de peur
succéder suivre
son m. bruit
courber baisser, mettre plus bas
nuque f. partie postérieure du cou. Ex. La chatte porte son petit par la nuque.
assentiment m. consentement
clignoter ouvrir et fermer les yeux souvent pour s'adapter à la lumière
gouailler railler, se moquer
fanfaronner prendre une pose héroïque
riposter faire une réponse vive
supprimer faire disparaître

1. Qu'est-ce qu'il a entendu s'approcher tout à coup?
2. Qu'a fait Jean de son revolver?
3. Qu'a-t-il fait quand la porte s'est entr'ouverte?
4. Qu'a dit Louis en refermant la porte?
5. Qu'est-ce qui a succédé au tumulte?
6. Que faisaient Rose et Louis dans la cuisine?
7. Qu'a fait Louis quand Rose a accepté?
8. Pourquoi Jean a-t-il clignoté des paupières?
9. Que lui a dit Rose pour se moquer de lui?
10. Qu'a dit Jean à propos de la vieille injustice?

à Jean de deviner exactement ce qui se passait. Tout à coup, la femme éclata d'un rire aigu, moqueur, provocant. Des chuchotements suivirent. Des pas pesants s'approchèrent du cellier. Jean, une fois de plus, serra son revolver entre ses doigts, puis, soudain, obéissant à une impulsion qui le remplit de stupeur, il le déposa à ses pieds, décidé à ne plus s'en servir.

La porte s'entr'ouvrit; il s'abrita derrière elle et vit une main sombre s'agiter, tâtonner dans le noir. Puis il entendit le crissement d'un crochet de métal sur un clou et la porte se referma avec un bruit sec. Presque aussitôt, le grand Louis dit d'une grosse voix finaude:

—Voilà la bête. Elle est belle!

Les voix inconnues approuvèrent, mais le bruit des paroles fut suivi par un aboiement furieux. Jean ramassa son revolver. Il était prêt à tout supporter, du moins il le croyait, sauf les crocs des chiens dans ses chairs.

Un bon quart d'heure s'écoula. Un silence angoissant succédait au tumulte. Il tendit vainement l'oreille. Pas un son, pas un mot, pas une rumeur.

Il ne savait pas que, dans la cuisine, l'homme et la femme, debout, se regardaient sans rien dire. Enfin, elle courba la nuque en signe d'assentiment. Alors, le Louis se dirigea vers la porte du cellier, tourna la clé, l'ouvrit toute grande.

Jean parut, clignota des paupières. La lueur de la lampe l'aveuglait. La femme eut un rire dur, puis gouailla:

—Vous avez dû avoir une belle peur, hein?

Il répondit sans fanfaronner:

—Je savais que votre mari ne permettrait pas que vous vous vengiez sur moi.

Elle riposta agressive:

—Et pourquoi?

—Parce qu'il sait qu'une nouvelle injustice ne supprime pas une vieille injustice.

entre-temps m. dans l'intervalle de temps
tenir à désirer
reculer marcher en arrière
se voiler devenir humide
rapporter faire gagner
gros billets grosse somme d'argent
vénal qui fait tout pour de l'argent
gravir monter avec effort

1. A quoi Rose tenait-elle plus qu'à sa vengeance?
2. Qu'est-ce que Rose aurait pu faire?
3. Qu'est-ce que cela aurait pu lui rapporter?
4. Qu'est-ce que Jean lui a promis?
5. Qu'a fait Rose alors?

® —J'ai pourtant laissé filtrer la lumière pour les attirer.

—Oui, mais entre-temps, vous avez découvert qu'il y a une chose à laquelle vous tenez plus encore qu'à votre vengeance.

—Et c'est? 5

—L'estime de votre mari.

Elle recula d'un pas; ses lèvres tremblaient, ses yeux se voilaient, puis elle dit d'un ton qu'elle voulait sec:

—Vous direz à madame Régnier que j'aurais pu vous livrer aux sentinelles et que je ne l'ai pas fait. Et même que 10 ça aurait pu me rapporter quelques gros billets... puisqu'on me croit vénale.

—Oui, Rose, je le lui dirai, je vous le promets.

Elle inclina la tête comme si elle acceptait un hommage, se dirigea vers l'escalier qu'elle gravit lentement, le dos 15 courbé.

Jean et le grand Louis restèrent seuls.

Les Nouvelles Littéraires, 8 novembre, 1945

Exercices

(Première partie)

Répondez sur le modèle indiqué:

I. Je me promène.
® *Réponse:* J'aide la chance en me promenant.
1. Tu te promènes.
2. Il se promène.
3. Vous vous promenez.
4. Elles se promènent.
5. Nous nous promenons.

II. Était-ce un militaire?
® *Réponse:* Impossible de distinguer s'il s'agissait d'un militaire.
1. Était-ce une sentinelle ennemie?
2. Était-ce un animal?
3. Était-ce un homme?
4. Était-ce un chasseur?
5. Était-ce un chien?
6. Était-ce un civil?

III. Il ne fallait pas s'égarer.
® *Réponse:* Ne s'était-il pas égaré?
Il ne fallait pas...
1. se lever.
2. se cacher.
3. se rapprocher.
4. se hisser sur la branche.
5. se réfugier sur l'arbre.
6. se laisser tomber.
7. se taire.
8. se défendre.
9. se perdre.
10. se mettre à parler.

IV. Demandez-lui de s'arrêter.
® *Réponse:* Arrêtez-vous.
Demandez-lui de...
1. se laisser tomber.
2. se lever.
3. se défendre.
4. se taire.
5. se rassurer.
6. se mettre sur la branche.

V. Demandez-lui de vous aider.
® *Réponse:* Aidez-moi.
Demandez-lui de...
1. vous avertir.
2. vous obéir.
3. vous défendre.
4. vous attendre.
5. vous ouvrir.
6. vous suivre.

VI. Examen sur les deux exercices précédents.
® Demandez-lui de...
1. vous cacher.
2. se cacher.
3. se promener.
4. vous défendre.
5. se défendre.
6. vous conduire.
7. s'avancer.
8. se laisser tomber.
9. vous laisser passer.
10. vous rassurer.
11. se rassurer.
12. se retourner.
13. se réveiller.
14. vous réveiller.

VII. Il veut descendre.
® *Réponse:* Qu'il descende!
Il veut...
1. attendre.
2. suivre.
3. se défendre.
4. se battre.
5. faire sa ronde.
6. sortir son revolver.
7. prendre son revolver.
8. obéir.
9. boire.
10. venir.
11. tendre la main.
12. courir.

VIII. Je viendrai.
® *Réponse:* Attendez jusqu'à ce que je vienne.
1. Je vous suivrai.
2. Je vous reprendrai.
3. Je ferai ma ronde.
4. Je serai seul.
5. J'aurai assez de force.
6. Je pourrai avancer.
7. Je me mettrai à courir.
8. Je sortirai.
9. Je dirai oui.
10. Je reconnaîtrai la maison.
11. Je descendrai.
12. Je boirai.

IX. S'il tâte ses poches il n'y trouvera pas de pain.
Réponse: Il aurait beau tâter ses poches, il n'y trouverait pas de pain.
1. S'il regarde, il ne verra pas la maison.
2. S'il écoute, il n'entendra pas ses amis.
3. S'il se cache, on finira par le trouver.
4. S'il suce le goulot de sa gourde, il n'y trouvera pas une seule goutte.
5. S'il grimpe sur un arbre, un homme le découvrira.
6. S'il est compatriote, l'homme ne l'aidera pas.
7. S'il obéit, les précautions seront inutiles.
8. S'il suit l'homme, il aura toujours peur.

(Deuxième partie)

Répondez sur le modèle indiqué:

I. N'attendez pas.
® *Réponse:* Il vaudrait mieux attendre.
1. Ne restez pas ici.

2. Ne le livrez pas.
3. Ne vous vengez pas maintenant.
4. Ne vous approchez pas.
5. Ne le suivez pas.
6. Ne répondez pas.
7. N'ouvrez pas.
8. Ne vous en servez pas.

II. Fumer depuis trois ans.
® *Réponse:* Il fume depuis trois ans.
1. Se raser depuis dix ans.
2. Être ici depuis une heure.
3. Avoir peur depuis trois mois.
4. Dormir depuis dix heures.
5. Se servir de son revolver depuis longtemps.
6. Parler depuis une heure.

III. Ne pas fumer depuis trois ans.
® *Réponse:* Il n'a pas fumé depuis trois ans.
1. Ne pas se raser depuis une semaine.
2. Ne pas aller à l'école depuis trois jours.
3. Ne rien manger depuis trois jours.
4. Ne pas dormir depuis deux jours.
5. Ne pas sentir cette odeur depuis quatre mois.
6. Ne pas la voir depuis dix ans.

IV. Examen sur les deux exercices précédents.
® 1. Connaître Rose depuis quinze ans.
2. Ne pas la revoir depuis dix ans.
3. Attendre depuis dix minutes.
4. Soupçonner Rose depuis plusieurs années.
5. Être fat depuis vingt ans.
6. Ne pas fumer depuis trois semaines.
7. Ne pas manger de pommes depuis trois semaines.
8. Sentir l'odeur depuis une heure.
9. Ne pas se peigner depuis quatre jours.
10. Savoir depuis longtemps.

V. Mon fils peut-il oublier?
® *Réponse:* Croyez-vous que mon fils puisse oublier?
1. Mon fils veut-il oublier?
2. Louis est-il calme?
3. Jean comprend-il?
4. Rose le sait-elle?
5. Connaît-elle bien les Régnier?
6. Les nuages s'en vont-ils?
7. Attendra-t-il?
8. Faut-il partir?
9. Boit-elle?
10. A-t-il peur?

VI. Il ne s'en servirait plus.
® *Réponse:* Il était décidé à ne plus s'en servir.
1. Il ne le dirait plus.
2. Il ne le ferait plus.
3. Il ne le croirait plus.
4. Il ne le permettrait plus.
5. Il ne répondrait plus.
6. Il n'ouvrirait plus.
7. Il ne suivrait plus.
8. Il ne le conduirait plus.
9. Il ne le reconnaîtrait plus.
10. Il ne le verrait plus.

VII. La lueur de la lampe l'aveugle. Il clignote des paupières.
® *Réponse:* La lueur de la lampe l'aveugle tellement qu'il clignote des paupières.
1. Rose tenait à sa vengeance. Elle a attiré les sentinelles.
2. Jean se croit beau. Il est sûr de plaire.
3. Le cellier était obscur. Jean n'a rien pu voir d'abord.
4. Le ton était poli. Il frisait l'insolence.
5. Il est resté impassible. Louis n'a rien fait.
6. On soupçonnait Rose. On l'a chassée.

VIII. Ils étaient provocants. Leurs poils luisaient.
Réponse: Ils étaient d'autant plus provocants que leurs poils luisaient.
1. Je suis furieuse. Tout le monde jase.
2. Il était calme. Personne ne l'entendait.
3. Rose était obstinée. On avait retrouvé la broche.
4. Il est fat. Il se sait beau.
5. Le petit était furieux. On l'accusait d'avoir une mère voleuse.
6. Les gens sont méchants. Ils jasent tout le temps.

IX. Elle termina, puis elle posa son bol.
Réponse: Quand elle eut terminé, elle posa son bol.
1. Elle but, puis elle posa son bol.
2. Il rit, puis il se tut.
3. Je sortis, puis je vis les sentinelles.
4. Elles entrèrent, puis elles s'assirent.
5. Nous prîmes une chaise, puis nous attendîmes.
6. Tu finis de parler, puis tu partis.
7. Ils partirent, puis il y eut un silence.
8. Je descendis dans le cellier, puis je me cachai.
9. Je me cachai, puis j'entendis des voix.
10. Elle se tut, puis elle courba la nuque.

X. Complétez les phrases suivantes en vous servant des indications données dans le récit:
1. Jean ne se sentait pas à son avantage parce que...
2. Louis profita de l'absence de sa femme pour...
3. L'étui en or n'avait pas été confisqué parce que...
4. Louis avait des sourcils broussailleux, signe...
5. Rose avait été chassée parce que...
6. A peine Jean se trouvait-il dans le cellier...
7. Le jugement du conseil de guerre était certain...
8. Jean mit le revolver à ses pieds, décidé...
9. Jean était prêt à tout supporter, sauf...
10. Louis n'a pas permis à sa femme de se venger, parce que...

ALBERT CAMUS

Né en 1913, Albert Camus passa toute sa jeunesse en Algérie. Après des études de philosophie à l'Université d'Alger, il devint professeur, s'intéressa au théâtre, à la politique; puis il embrassa la carrière de journaliste et d'écrivain. En 1957 le prix Nobel couronna son œuvre qui a exercé et continue d'exercer une profonde influence sur les générations actuelles. Albert Camus mourut à l'âge de quarante-sept ans dans un accident d'automobile.

Dans *l'Hôte*, nouvelle extraite de *l'Exil et le Royaume*, Camus développe sous une forme dramatique quelques-uns des thèmes qui lui sont chers: solitude et souffrances des hommes, foi dans la justice et dans la communion des hommes malgré le caractère incompréhensible et absurde de l'univers.

instituteur m. maître d'école primaire
entamer commencer (à monter)
raidillon m. court chemin en pente rapide
bâtir construire
colline f. petite montagne
peiner éprouver de la fatigue
étendue f. surface
broncher faire un faux pas
jet m. jaillissement. Ex. Le jet d'eau sort de la fontaine.
vapeur f. eau qui devient gazeuse. Ex. L'eau chaude devient de la vapeur à 100° centigrade.
naseau m. ouverture du nez de certains animaux. Ex. Du feu sort des naseaux du dragon.
couche f. substance appliquée sur une autre. Ex. La neige couvre tout d'une couche blanche.
chandail m. vêtement de laine. Ex. Un pullover est un chandail.

1. Qui l'instituteur a-t-il vu arriver?
2. Où était bâtie l'école?
3. Pourquoi les deux hommes avaient-ils de la peine à marcher?
4. Qu'est-ce qui sortait des naseaux du cheval?
5. Pourquoi ne pouvait-on pas voir la piste?
6. Dans combien de temps les deux hommes allaient-ils arriver à l'école?
7. Qu'est-ce qui était dessiné sur le tableau?

L'Hôte

I

L'instituteur regardait les deux hommes monter vers lui. L'un était à cheval, l'autre à pied. Ils n'avaient pas encore entamé le raidillon abrupt qui menait à l'école, bâtie au flanc d'une colline. Ils peinaient, progressant lentement dans la neige entre les pierres, sur l'immense étendue du 5
haut plateau désert. De temps en temps, le cheval bronchait visiblement. On ne l'entendait pas encore, mais on voyait le jet de vapeur qui sortait alors de ses naseaux. L'un des hommes, au moins, connaissait le pays. Ils suivaient la piste qui avait pourtant disparu depuis plusieurs jours sous 10
une couche blanche et sale. L'instituteur calcula qu'ils ne seraient pas sur la colline avant une demi-heure. Il faisait froid; il rentra dans l'école pour chercher un chandail.

Il traversa la salle de classe, vide et glacée. Sur le tableau noir les quatre fleuves de France, dessinés avec quatre 15

*estuaire** m. partie d'un fleuve envahie par la mer
sécheresse f. état de ce qui est sec, †humidité
*disséminer** mettre ici et là
attenant attaché à
contrefort m. petite chaîne de montagnes faisant partie d'une grande chaîne
réchauffer faire chauffer ce qui est devenu froid
*attaquer** commencer à lutter avec
foncé se dit d'une couleur sombre. Ex. Le bleu du ciel devient toujours plus foncé le soir.
à peine assez peu, très peu
*renforcer**, *se* devenir plus fort
on eût dit on aurait dit
saute f. changement brusque
appentis m. petit toit à une seule pente, petit bâtiment appuyé à un mur
soigner avoir soin de. Ex. C'est un bon fermier; il soigne bien tous ses animaux.
puiser prendre
camionnette f. automobile faite pour transporter les marchandises
ravitaillement m. provisions, de nourriture surtout
tourmente f. tempête violente
siège m. opération militaire consistant à isoler une ville
encombrer gêner les mouvements. Ex. La rue est encombrée d'automobiles.

1. Depuis combien de jours les élèves ne venaient-ils plus?
2. Quand était tombée la neige?
3. Combien d'élèves avait Daru?
4. Où se trouvait le logement de Daru?
5. Sur quoi donnait la fenêtre?
6. Que pouvait-on voir par temps clair?
7. Pourquoi Daru ne pouvait-il plus voir les deux hommes?
8. Pourquoi eût-on dit que la journée commençait à deux heures de l'après-midi?
9. Combien de temps avait duré la tempête de neige?
10. Par quoi la porte de la classe avait-elle été secouée?
11. Pourquoi Daru allait-il sous l'appentis pendant la tempête de neige?
12. Qu'est-ce que la camionnette avait apporté?
13. Quand reviendrait-elle?
14. Qu'est-ce qui encombrait la salle?

craies de couleurs différentes, coulaient vers leur estuaire depuis trois jours. La neige était tombée brutalement à la mi-octobre après huit mois de sécheresse, sans que la pluie eût apporté une transition et la vingtaine d'élèves qui habitaient dans les villages disséminés sur le plateau ne venaient plus. Il fallait attendre le beau temps. Daru ne chauffait plus que l'unique pièce qui constituait son logement, attenant à la classe, et ouvrant aussi sur le plateau à l'est. Une fenêtre donnait encore, comme celles de la classe, sur le midi. De ce côté, l'école se trouvait à quelques kilomètres de l'endroit où le plateau commençait à descendre vers le sud. Par temps clair, on pouvait apercevoir les masses violettes du contrefort montagneux où s'ouvrait la porte du désert.

Un peu réchauffé, Daru retourna à la fenêtre d'où il avait, pour la première fois, aperçu les deux hommes. On ne les voyait plus. Ils avaient donc attaqué le raidillon. Le ciel était moins foncé: dans la nuit, la neige avait cessé de tomber. Le matin s'était levé sur une lumière sale qui s'était à peine renforcée à mesure que le plafond de nuages remontait. A deux heures de l'après-midi, on eût dit que la journée commençait seulement. Mais cela valait mieux que ces trois jours où l'épaisse neige tombait au milieu des ténèbres incessantes, avec de petites sautes de vent qui venaient secouer la double porte de la classe. Daru patientait alors de longues heures dans sa chambre dont il ne sortait que pour aller sous l'appentis, soigner les poules et puiser dans la provision de charbon. Heureusement, la camionnette de Tadjid, le village le plus proche au nord, avait apporté le ravitaillement deux jours avant la tourmente. Elle reviendrait dans quarante-huit heures.

Il avait d'ailleurs de quoi soutenir un siège, avec les sacs de blé qui encombraient la petite chambre et que l'administration lui laissait en réserve pour distribuer à ceux de ses

elle leur avait manqué ils n'avaient pas eu de ration
ravitailler donner assez de provisions
soudure f. fusion métallique; *faire la soudure* faire le ravitaillement jusqu'à la récolte suivante
haillonneux couvert de vêtements si vieux qu'ils sont en haillons, en pièces
errer marcher sans but
calciner brûler
recroquevillé se contracter sous la chaleur
torréfié grillé, rôti
moine m. membre d'une communauté religieuse
crépi couvert de plâtre
étagère f. planche de bois où on garde des livres, de petits objets
hebdomadaire une fois par semaine
avertissement m. annonce
détente f. repos, intervalle calme
arranger aider, faciliter les choses
terre-plein m. terrasse
djellabah m. longue blouse que portent les Arabes
laine f. étoffe faite du poil des moutons
grège qui n'est pas très fin ou délicat; *laine grège* grosse laine
coiffer couvrir la tête
chèche m. coiffure arabe

1. Pourquoi l'administration lui laissait-elle cette réserve?
2. A qui Daru distribuait-il une ration de blé chaque jour?
3. Qui viendrait peut-être ce soir?
4. Pourquoi la misère finirait-elle bientôt?
5. Quels étaient les effets de la misére?
6. Comment Daru s'était-il senti devant la misère?
7. Comment était le pays?
8. Pourquoi ne se sentait-il pas exilé?
9. Qui Daru reconnut-il dans le cavalier?
10. Comment était l'Arabe?
11. Pourquoi Daru n'a-t-il pas répondu à la salutation du gendarme?
12. Comment était vêtu l'Arabe?

élèves dont les familles avaient été victimes de la sécheresse. En réalité, le malheur les avait tous atteints puisque tous étaient pauvres. Chaque jour, Daru distribuait une ration aux petits. Elle leur avait manqué, il le savait bien, pendant ces mauvais jours. Peut-être un des pères ou des grands frères viendrait ce soir et il pourrait les ravitailler en grains. Il fallait faire la soudure avec la prochaine récolte, voilà tout. Des navires de blé arrivaient maintenant de France, le plus dur était passé. Mais il serait difficile d'oublier cette misère, cette armée de fantômes haillonneux errant dans le soleil, les plateaux calcinés mois après mois, la terre recroquevillée peu à peu, littéralement torréfiée, chaque pierre éclatant en poussière sous le pied. Les moutons mouraient alors par milliers et quelques hommes, çà et là, sans qu'on puisse toujours le savoir.

Devant cette misère, lui qui vivait presque en moine dans son école perdue, content d'ailleurs du peu qu'il avait, et de cette vie rude, s'était senti un seigneur, avec ses murs crépis, son divan étroit, ses étagères de bois blanc, son puits, et son ravitaillement hebdomadaire en eau et en nourriture. Et, tout d'un coup, cette neige, sans avertissement, sans la détente de la pluie. Le pays était ainsi, cruel à vivre, même sans les hommes, qui, pourtant, n'arrangeaient rien. Mais Daru y était né. Partout ailleurs, il se sentait exilé.

Il sortit et avança sur le terre-plein devant l'école. Les deux hommes étaient maintenant à mi-pente. Il reconnut dans le cavalier, Balducci, le vieux gendarme qu'il connaissait depuis longtemps. Balducci tenait au bout d'une corde un Arabe qui avançait derrière lui, les mains liées, le front baissé. Le gendarme fit un geste de salutation auquel Daru ne répondit pas, tout entier occupé à regarder l'Arabe vêtu d'une djellabah autrefois bleue, les pieds dans des sandales, mais couverts de chaussettes en grosse laine grège, la tête coiffée d'un chèche étroit et court. Ils appro-

maintenir faire continuer dans un certain état
au pas qui marche sans se presser
à portée de voix à une distance qui permet à quelqu'un d'entendre
déboucher arriver dans un certain endroit
lâcher abandonner, laisser tomber
hérissé dressé
basané bruni. Ex. Il a la peau basanée d'un vieux capitaine.
appliquer donner toute son attention à son travail
*bride** f. partie du harnais d'un cheval qui sert à le diriger
dénouer détacher
s'accroupir s'asseoir sur les talons
lisse uni, sans relief
buté obstiné
recuit cuit de nouveau; très bruni par le soleil
corvée f. travail déplaisant, désagréable
vivement la retraite Je souhaite beaucoup prendre ma retraite. En général, on prend sa retraite (on ne travaille plus) à l'âge de 65 ans.
poignet m. partie du bras, juste après la main. Ex. Il porte sa montre au poignet.
trôner être assis comme un prince sur son trône

1. Pourquoi Balducci maintenait-il le cheval au pas?
2. Combien de temps les deux hommes avaient-ils mis pour faire les trois kilomètres?
3. Qu'est-ce que Daru avait mis pour se protéger du froid?
4. Quelle invitation Daru a-t-il faite aux deux hommes qui venaient d'arriver?
5. Pourquoi Balducci avail-il un air appliqué et attentif?
6. Où Daru a-t-il conduit le cheval?
7. Pourquoi a-t-il voulu chauffer la salle de classe?
8. Sur quoi s'est assis le gendarme?
9. Où s'est accroupi l'Arabe?
10. Que portait-il sur la tête?
11. Comment étaient ses lèvres? son nez? ses yeux? sa peau?
12. Qu'est-ce que Daru a fait sur le feu pour les deux hommes?
13. Sur quoi s'est assis Balducci dans la salle de classe?

chaient. Balducci maintenait sa bête au pas pour ne pas blesser l'Arabe et le groupe avançait lentement.

A portée de voix, Balducci cria: «Une heure pour faire les trois kilomètres d'El Ameur ici!» Daru ne répondit pas. Court et carré dans son chandail épais, il les regardait monter. Pas une seule fois, l'Arabe n'avait levé la tête. «Salut, dit Daru, quand ils débouchèrent sur le terre-plein. Entrez vous réchauffer.» Balducci descendit péniblement de sa bête, sans lâcher la corde. Il sourit à l'instituteur sous ses moustaches hérissées. Ses petits yeux sombres, très enfoncés sous le front basané, et sa bouche entourée de rides, lui donnaient un air attentif et appliqué. Daru prit la bride, conduisit la bête vers l'appentis, et revint vers les deux hommes qui l'attendaient maintenant dans l'école. Il les fit pénétrer dans sa chambre. «Je vais chauffer la salle de classe, dit-il. Nous y serons plus à l'aise.» Quand il entra de nouveau dans la chambre, Balducci était sur le divan. Il avait dénoué la corde qui le liait à l'Arabe et celui-ci s'était accroupi près du poêle. Les mains toujours liées, le chèche maintenant poussé en arrière, il regardait vers la fenêtre. Daru ne vit d'abord que ses énormes lèvres, pleines, lisses, presque négroïdes; le nez cependant était droit, les yeux sombres, pleins de fièvre. Le chèche découvrait un front buté et, sous la peau recuite mais un peu décolorée par le froid, tout le visage avait un air à la fois inquiet et rebelle qui frappa Daru quand l'Arabe, tournant son visage vers lui, le regarda droit dans les yeux. «Passez à côté, dit l'instituteur, je vais vous faire du thé à la menthe.—Merci, dit Balducci. Quelle corvée! Vivement la retraite.» Et s'adressant en arabe à son prisonnier: «Viens, toi.» L'Arabe se leva et, lentement, tenant ses poignets joints devant lui, passa dans l'école.

Avec le thé, Daru apporta une chaise. Mais Balducci trônait déjà sur la première table d'élève et l'Arabe s'était

estrade f. plancher surélevé
sûr bien sûr, certainement
faire mine faire semblant, donner l'impression de
frotter passer plusieurs fois
gonflé devenu plus gros
aspirer à petites gorgées boire à petites quantités
fils mon garçon (nom familier qui n'indique pas la parenté ici)
commune mixte f. village où habitent surtout des Arabes
tu te fous de moi (fam.) tu te moques de moi
ça bouge ça s'agite
*mobiliser** préparer la guerre
*patrouiller** aller par petits groupes pour surveiller
confier mettre aux soins de quelqu'un. Ex. La mère confie son fils au directeur de l'école.
zèbre m. (fam.) individu, homme

1. Qu'est-ce que Daru a suggéré en voyant les mains liées de l'Arabe?
2. Pourquoi Daru s'est-il agenouillé près de l'Arabe?
3. Qu'a fait l'Arabe quand il a eu les mains libres?
4. Où Daru devait-il livrer l'Arabe?
5. Quelle a été la réaction de Daru quand Balducci lui a communiqué les ordres?
6. Pourquoi le gendarme a-t-il dit qu'ils étaient mobilisés?
7. Pourquoi Balducci devait-il rentrer à El Ameur?

accroupi contre l'estrade du maître, face au poêle qui se trouvait entre le bureau et la fenêtre. Quand il tendit le verre de thé au prisonnier, Daru hésita devant ses mains liées. «On peut le délier, peut-être.—Sûr, dit Balducci. C'était pour le voyage.» Il fit mine de se lever. Mais Daru, posant le verre sur le sol, s'était agenouillé près de l'Arabe. Celui-ci, sans rien dire, le regardait faire de ses yeux fiévreux. Les mains libres, il frotta l'un contre l'autre ses poignets gonflés, prit le verre de thé et aspira le liquide brûlant, à petites gorgées rapides.

«Bon, dit Daru. Et comme ça, où allez-vous?»

Balducci retira sa moustache du thé: «Ici, fils.

—Drôle d'élèves! Vous couchez ici?

—Non. Je vais retourner à El Ameur. Et toi, tu livreras le camarade à Tinguit. On l'attend à la commune mixte.»

Balducci regardait Daru avec un petit sourire d'amitié.

«Qu'est-ce que tu racontes, dit l'instituteur. Tu te fous de moi?

—Non, fils. Ce sont les ordres.

—Les ordres? Je ne suis pas...» Daru hésita; il ne voulait pas peiner le vieux Corse. «Enfin, ce n'est pas mon métier.

—Eh! Qu'est-ce que ça veut dire? A la guerre, on fait tous les métiers.

—Alors, j'attendrai la déclaration de guerre!»

Balducci approuva de la tête.

«Bon. Mais les ordres sont là et ils te concernent aussi. Ça bouge, paraît-il. On parle de révolte prochaine. Nous sommes mobilisés, dans un sens.»

Daru gardait son air buté.

«Écoute, fils, dit Balducci. Je t'aime bien, il faut comprendre. Nous sommes une douzaine à El Ameur pour patrouiller dans le territoire d'un petit département et je dois rentrer. On m'a dit de te confier ce zèbre et de rentrer sans tarder. On ne pouvait pas le garder là-bas. Son village

costaud m. (pop.) solide, fort
s'ébrouer souffler d'impatience
sabot m. extrémité de la jambe d'un cheval, d'une vache, etc.
déverser faire couler
serpe f. couteau très solide pour couper le bois
lame f. partie coupante d'un couteau
inquiétude f. malaise, appréhension
méchanceté f. tendance à faire le mal
inlassable infatigable
bouilloire f. pot pour faire bouillir de l'eau
*avidité** f. désir ardent et glouton
entrebâiller ouvrir un peu

1. Pourquoi n'avait-on pas pu garder l'Arabe dans son village?
2. A quelle distance se trouvait Tinguit?
3. Qu'est-ce que Daru pouvait faire après avoir livré le prisonnier?
4. A quoi pensait Daru en regardant la neige par la fenêtre?
5. Qu'avait fait l'Arabe?
6. Pourquoi et comment l'avait-il fait?
7. Quel geste a fait le gendarme pour décrire cette action?
8. Quel sentiment Daru a-t-il soudain eu contre l'Arabe?
9. Comment Daru savait-il que l'Arabe était maigre?

s'agitait, ils voulaient le reprendre. Tu dois le mener à Tinguit dans la journée de demain. Ce n'est pas une vingtaine de kilomètres qui font peur à un costaud comme toi. Après, ce sera fini. Tu retrouveras tes élèves et la bonne vie.»

Derrière le mur, on entendit le cheval s'ébrouer et frapper du sabot. Daru regardait par la fenêtre. Le temps se levait décidément, la lumière s'élargissait sur le plateau neigeux. Quand toute la neige serait fondue, le soleil régnerait de nouveau et brûlerait une fois de plus les champs de pierre. Pendant des jours, encore, le ciel inaltérable déverserait sa lumière sèche sur l'étendue solitaire où rien ne rappelait l'homme.

«Enfin, dit-il en se retournant vers Balducci, qu'est-ce qu'il a fait?» Et il demanda, avant que le gendarme ait ouvert la bouche: «Il parle français?

—Non, pas un mot. On le recherchait depuis un mois, mais ils le cachaient. Il a tué son cousin.

—Il est contre nous?

—Je ne crois pas. Mais on ne peut jamais savoir.

—Pourquoi a-t-il tué?

—Des affaires de famille, je crois. L'un devait du grain à l'autre, paraît-il. Ça n'est pas clair. Enfin, bref, il a tué le cousin d'un coup de serpe. Tu sais, comme au mouton, zic!...»

Balducci fit le geste de passer une lame sur sa gorge et l'Arabe, son attention attirée, le regardait avec une sorte d'inquiétude. Une colère subite vint à Daru contre cet homme, contre tous les hommes et leur sale méchanceté, leurs haines inlassables, leur folie du sang.

Mais la bouilloire chantait sur le poêle. Il resservit du thé à Balducci, hésita, puis servit à nouveau l'Arabe qui, une seconde fois, but avec avidité. Ses bras soulevés entrebâillaient maintenant la djellabah et l'instituteur aperçut sa poitrine maigre et musclée.

sèchement d'une manière froide et peu agréable
tu es sonné (fam.) tu es fou
se soulever se révolter
être à l'abri être protégé
être dans le même sac (fam.) être dans la même situation
être fêlé (fam.) être fou
d'ici El Ameur entre ici et El Ameur
peinture f. substance colorée
dégoûter inspirer de la répugnance, rendre malade
gars m. (fam.) jeune homme

1. Pourquoi Balducci a-t-il tiré une cordelette de sa poche avant de partir?
2. Comment Daru était-il armé?
3. Pourquoi Balducci a-t-il dit à Daru qu'il était sonné?
4. Pourquoi Daru a-t-il dit qu'il avait le temps?
5. Pourquoi Balducci aimait-il Daru?
6. Qu'est-ce qu'il a posé sur le bureau?
7. Qu'allait faire Daru de l'Arabe?

«Merci, petit, dit Balducci. Et maintenant, je file.»

Il se leva et se dirigea vers l'Arabe, en tirant une cordelette de sa poche.

«Qu'est-ce que tu fais?» demanda sèchement Daru.

Balducci, interdit, lui montra la corde.

«Ce n'est pas la peine.»

Le vieux gendarme hésita:

«Comme tu voudras. Naturellement, tu es armé?

—J'ai mon fusil de chasse.

—Où?

—Dans la malle.

—Tu devrais l'avoir près de ton lit.

—Pourquoi? Je n'ai rien à craindre.

—Tu es sonné, fils. S'ils se soulèvent, personne n'est à l'abri, nous sommes tous dans le même sac.

—Je me défendrai. J'ai le temps de les voir arriver.»

Balducci se mit à rire, puis la moustache vint soudain recouvrir les dents encore blanches.

«Tu as le temps? Bon. C'est ce que je disais. Tu as toujours été un peu fêlé. C'est pour ça que je t'aime bien, mon fils était comme ça.»

Il tirait en même temps son revolver et le posait sur le bureau.

«Garde-le, je n'ai pas besoin de deux armes d'ici El Ameur.»

Le revolver brillait sur la peinture noire de la table. Quand le gendarme se retourna vers lui, l'instituteur sentit son odeur de cuir et de cheval.

«Écoute, Balducci, dit Daru soudainement, tout ça me dégoûte, et ton gars le premier. Mais je ne le livrerai pas. Me battre, oui, s'il le faut. Mais pas ça.»

Le vieux gendarme se tenait devant lui et le regardait avec sévérité.

«Tu fais des bêtises, dit-il lentement. Moi non plus, je

à ton aise fais comme tu voudras
nier dire qu'une chose n'est pas vraie
sergent-major marque de plume (*Renault* est une marque d'auto)
renifler aspirer fortement par le nez
chagrin triste, mélancolique
surgir apparaître subitement
s'effarer éprouver de la peur, s'inquiéter
mollement sans énergie
ne pas quitter des yeux suivre des yeux

1. Qu'est-ce que le gendarme n'aimait pas faire dans son métier?
2. Qu'a dit Daru au sujet de l'ordre?
3. Pourquoi Daru devait-il signer?
4. Avec quoi a-t-il signé?
5. Où le gendarme a-t-il mis le papier?
6. Pourquoi Balducci n'a-t-il pas voulu être accompagné?
7. Comment est-il parti?
8. Pourquoi ses pas étaient-ils étouffés?
9. Comment a-t-il tiré le cheval?

n'aime pas ça. Mettre une corde à un homme, malgré les années, on ne s'y habitue pas et même, oui, on a honte. Mais on ne peut pas les laisser faire.

—Je ne le livrerai pas, répéta Daru.

—C'est un ordre, fils. Je te le répète.

—C'est ça. Répète-leur ce que je t'ai dit: je ne le livrerai pas.»

Balducci faisait un visible effort de réflexion. Il regardait l'Arabe et Daru. Il se décida enfin.

«Non. Je ne leur dirai rien. Si tu veux nous lâcher, à ton aise, je ne te dénoncerai pas. J'ai l'ordre de livrer le prisonnier: je le fais. Tu vas maintenant me signer le papier.

—C'est inutile. Je ne nierai pas que tu me l'as laissé.

—Ne sois pas méchant avec moi. Je sais que tu diras la vérité. Tu es d'ici, tu es un homme. Mais tu dois signer, c'est la règle.»

Daru ouvrit son tiroir, tira une petite bouteille carrée d'encre violette, le porte-plume de bois rouge avec la plume *sergent-major* qui lui servait à tracer les modèles d'écriture et il signa. Le gendarme plia soigneusement le papier et le mit dans son porte-feuille. Puis il se dirigea vers la porte.

«Je vais t'accompagner, dit Daru.

—Non, dit Balducci. Ce n'est pas la peine d'être poli. Tu m'as fait un affront.»

Il regarda l'Arabe, immobile, à la même place, renifla d'un air chagrin et se détourna vers la porte: «Adieu, fils», dit-il. La porte battit derrière lui. Balducci surgit devant la fenêtre puis disparut. Ses pas étaient étouffés par la neige. Le cheval s'agita derrière la cloison, des poules s'effarèrent. Un moment après, Balducci repassa devant la fenêtre tirant le cheval par la bride. Il avançait vers le raidillon sans se retourner, disparut le premier et le cheval le suivit. On entendit une grosse pierre rouler mollement. Daru revint vers le prisonnier qui n'avait pas bougé, mais ne le quittait

seuil m. planche de bois au bas d'une porte
se raviser changer d'avis
fourrer mettre dans
se fermer devenir sombre
*mauve** violet pâle
ingrat qui ne montre pas de gratitude, †reconnaissant
sillon m. trace de charrue laissée dans la terre
culture f. plantes cultivées
mettre au jour laisser voir
propice utile, favorable
labourer travailler, tourner la terre. Ex. Avec la charrue le fermier laboure son champ.
récolter recueillir les produits du sol. Ex. En automne, le fermier récolte les pommes.
caillou m. petite pierre
gratter prendre à la surface
copeau m. petite quantité qu'on enlève avec un instrument coupant
creux m. trou. Ex. Il a son argent dans le creux de sa main.
engraisser rendre gras. Ex. Il vaut mieux engraisser cette vache avant de la tuer.
franc (f. *franche*) sincère, pur

1. Daru a-t-il parlé à l'Arabe en français ou en arabe?
2. Qu'a pris Daru avant d'entrer dans sa chambre?
3. Où s'est couché Daru après le départ du gendarme?
4. A quel moment le silence lui avait-il paru pénible?
5. Où avait-il demandé un poste?
6. Qu'est-ce qui marquait la frontière du désert?
7. Où avait-il été nommé?
8. Pourquoi les terres étaient-elles ingrates?
9. A quoi faisaient penser les sillons?
10. Pourquoi grattait-on la terre accumulée dans les creux?
11. Quelle était l'importance des hommes dans ce désert?
12. Pourquoi Daru a-t-il senti une joie franche en n'entendant aucun bruit?

pas des yeux. «Attends», dit l'instituteur en arabe, et il se dirigea vers la chambre. Au moment de passer le seuil, il se ravisa, alla au bureau, prit le revolver et le fourra dans sa poche. Puis, sans se retourner, il entra dans sa chambre.

II

Longtemps, il resta étendu sur son divan à regarder le ciel se fermer peu à peu, à écouter le silence. C'était ce silence qui lui avait paru pénible les premiers jours de son arrivée, après la guerre. Il avait demandé un poste dans la petite ville au pied des contreforts qui séparent du désert les hauts plateaux. Là, des murailles rocheuses, vertes et noires au nord, roses ou mauves au sud, marquaient la frontière de l'éternel été. On l'avait nommé à un poste plus au nord, sur le plateau même. Au début, la solitude et le silence lui avaient été durs sur ces terres ingrates, habitées seulement par des pierres. Parfois, des sillons faisaient croire à des cultures, mais ils avaient été creusés pour mettre au jour une certaine pierre, propice à la construction. On ne labourait ici que pour récolter des cailloux. D'autres fois, on grattait quelques copeaux de terre, accumulée dans des creux, dont on engraisserait les maigres jardins des villages. C'était ainsi, le caillou seul couvrait les trois quarts de ce pays. Les villes y naissaient, brillaient, puis disparaissaient; les hommes y passaient, s'aimaient ou se mordaient à la gorge, puis mouraient. Dans ce désert, personne, ni lui ni son hôte n'étaient rien. Et pourtant, hors de ce désert, ni l'un ni l'autre, Daru le savait, n'auraient pu vivre vraiment.

Quand il se leva, aucun bruit ne venait de la salle de classe. Il s'étonna de cette joie franche qui lui venait à la seule pensée que l'Arabe avait pu fuir et qu'il allait se retrouver seul sans avoir rien à décider. Mais le prisonnier

long m. longueur
boudeur qui montre de la mauvaise humeur
prendre place s'asseoir
pétrir mélanger la farine et un liquide pour faire de la pâte (dont on fera le pain)
galette f. sorte de gâteau plat
butagaz m. gaz en bouteilles
ramener Camus aurait dû écrire: rapporter (revenir avec quelque chose)
rebord m. bord élevé. Ex. Le chat aime s'asseoir sur le rebord de la fenêtre dans le soleil.
étendu mélangé, coupé
heurter frapper brusquement, choquer rudement
bol m. récipient demi-sphérique
étendre déployer en long et en large. Ex. Ma mère étend la nappe sur la table avant de mettre le couvert.

1. Qu'avait fait le prisonnier?
2. Qu'est-ce que Daru lui a demandé?
3. Qu'est-ce qu'il a mis sur la table?
4. Avec quoi a-t-il fait la galette?
5. Où a-t-il fait cuire la galette?
6. Qu'est-ce qu'il est allé chercher sous l'appentis?
7. Où a-t-il fait refroidir la galette?
8. Qu'a-t-il fait des œufs?
9. Où était le revolver?
10. Où l'a-t-il mis?
11. Pourquoi l'Arabe n'a-t-il pas mangé tout de suite le morceau de galette?
12. Quelle est l'ironie de la question, «C'est toi le juge?»
13. Pourquoi Daru est-il sorti après le repas?
14. Qu'a-t-il fait en revenant?

était là. Il s'était seulement couché de tout son long entre le poêle et le bureau. Les yeux ouverts, il regardait le plafond. Dans cette position, on voyait surtout ses lèvres épaisses qui lui donnaient un air boudeur. «Viens», dit Daru. L'Arabe se leva et le suivit. Dans la chambre, l'instituteur lui montra 5 une chaise près de la table, sous la fenêtre. L'Arabe prit place sans cesser de regarder Daru.

«Tu as faim?

—Oui», dit le prisonnier.

Daru installa deux couverts. Il prit de la farine et de 10 l'huile, pétrit dans un plat une galette et alluma le petit fourneau à butagaz. Pendant que la galette cuisait, il sortit pour ramener de l'appentis du fromage, des œufs, des dattes et du lait condensé. Quand la galette fut cuite, il la mit à refroidir sur le rebord de la fenêtre, fit chauffer du 15 lait condensé étendu d'eau et, pour finir, battit les œufs en omelette. Dans un de ses mouvements, il heurta le revolver enfoncé dans sa poche droite. Il posa le bol, passa dans la salle de classe et mit le revolver dans le tiroir de son bureau. Quand il revint dans la chambre, la nuit tombait. Il donna 20 de la lumière et servit l'Arabe: «Mange», dit-il. L'autre prit un morceau de galette, le porta vivement à sa bouche et s'arrêta. «Et toi? dit-il.

—Après toi. Je mangerai aussi.»

Les grosses lèvres s'ouvrirent un peu, l'Arabe hésita, 25 puis il mordit résolument dans la galette.

Le repas fini, l'Arabe regardait l'instituteur.

«C'est toi le juge?

—Non, je te garde jusqu'à demain.

—Pourquoi tu manges avec moi? 30

—J'ai faim.»

L'autre se tut. Daru se leva et sortit. Il ramena un lit de camp de l'appentis, l'étendit entre la table et le poêle, perpendiculairement à son propre lit. D'une grande valise qui,

dossier m. ensemble de tous les papiers qui concernent une même affaire. Ex. Il y a au bureau un dossier pour chaque élève.
oisif inoccupé
parvenir réussir
gagner saisir
gauche maladroit
emprunté embarrassé, qui n'est pas à son aise
coincé rendre immobile. Ex. Le gendarme a coincé le voleur derrière la porte.
à même sur le dessus (L'Arabe n'entre pas sous les couvertures.)
ampoule f. récipient de verre, qui renferme le filament d'une lampe électrique
planter dresser, se tenir solidement sur les pieds
aveugler rendre aveugle, priver de vision
paupière f. peau qui couvre l'œil

1. Qu'est-ce qu'il a essayé d'imaginer en regardant le visage de l'Arabe?
2. Pourquoi l'Arabe avait-il tué?
3. Quelle question l'Arabe n'a-t-il pas comprise?
4. Que voulait dire l'Arabe quand il a demandé, «Tu viens avec nous?»

debout dans un coin, servait d'étagère à dossiers, il tira deux couvertures qu'il disposa sur le lit de camp. Puis il s'arrêta, se sentit oisif, s'assit sur son lit. Il n'y avait plus rien à faire ni à préparer. Il fallait regarder cet homme. Il le regardait donc, essayant d'imaginer ce visage emporté de fureur. Il n'y parvenait pas. Il voyait seulement le regard à la fois sombre et brillant, et la bouche animale.

«Pourquoi tu l'as tué?» dit-il d'une voix dont l'hostilité le surprit.

L'Arabe détourna son regard.

«Il s'est sauvé. J'ai couru derrière lui.»

Il releva les yeux sur Daru et ils étaient pleins d'une sorte d'interrogation malheureuse.

«Maintenant, qu'est-ce qu'on va me faire?

—Tu as peur?»

L'autre se raidit, en détournant les yeux.

«Tu regrettes?»

L'Arabe le regarda, bouche ouverte. Visiblement, il ne comprenait pas. L'irritation gagnait Daru. En même temps, il se sentait gauche et emprunté dans son gros corps, coincé entre les deux lits.

«Couche-toi là, dit-il avec impatience. C'est ton lit.»

L'Arabe ne bougeait pas. Il appela Daru:

«Dis!»

L'instituteur le regarda.

«Le gendarme revient demain?

—Je ne sais pas.

—Tu viens avec nous?

—Je ne sais pas. Pourquoi?»

Le prisonnier se leva et s'étendit à même les couvertures, les pieds vers la fenêtre. La lumière de l'ampoule électrique lui tombait droit dans les yeux qu'il ferma aussitôt.

«Pourquoi?» répéta Daru, planté devant le lit.

L'Arabe ouvrit les yeux sous la lumière aveuglante et le regarda en s'efforçant de ne pas battre les paupières.

nu sans vêtements
se rhabiller s'habiller de nouveau
il en avait vu d'autres il avait été dans d'autres situations dangereuses
armure f. ce qui protège contre les armes de l'ennemi
songe m. rêve, association d'idées qui se forment pendant le sommeil

1. Quelle prière l'Arabe a-t-il faite à Daru avant de s'endormir?
2. Pourquoi Daru se sentait-il vulnérable dans son lit?
3. Où était l'Arabe?
4. Comment était le ciel?
5. Que ferait peut-être le vent?
6. Comment dormait l'Arabe?
7. Pourquoi sa présence gênait-elle Daru?
8. Quelle sorte de fraternité s'impose quand on partage la même chambre?
9. Qu'a fait Daru quand l'Arabe a commencé à bouger?

«Viens avec nous», dit-il.

Au milieu de la nuit, Daru ne dormait toujours pas. Il s'était mis au lit après s'être complètement déshabillé: il couchait nu habituellement. Mais quand il se trouva sans vêtements dans la chambre, il hésita. Il se sentait vulnérable, la tentation lui vint de se rhabiller. Puis il haussa les épaules; il en avait vu d'autres et, s'il le fallait, il casserait en deux son adversaire. De son lit, il pouvait l'observer, étendu sur le dos, toujours immobile et les yeux fermés sous la lumière violente. Quand Daru éteignit, les ténèbres semblèrent se congeler d'un coup. Peu à peu, la nuit redevint vivante dans la fenêtre où le ciel sans étoiles remuait doucement. L'instituteur distingua bientôt le corps étendu devant lui. L'Arabe ne bougeait toujours pas, mais ses yeux semblaient ouverts. Un léger vent rôdait autour de l'école. Il chasserait peut-être les nuages et le soleil reviendrait.

Dans la nuit, le vent grandit. Les poules s'agitèrent un peu, puis se turent. L'Arabe se retourna sur le côté, présentant le dos à Daru et celui-ci crut l'entendre gémir. Il guetta ensuite sa respiration, devenue plus forte et plus régulière. Il écoutait ce souffle si proche et rêvait sans pouvoir s'endormir. Dans la chambre où, depuis un an, il dormait seul, cette présence le gênait. Mais elle le gênait aussi parce qu'elle lui imposait une sorte de fraternité qu'il refusait dans les circonstances présentes et qu'il connaissait bien: les hommes, qui partagent les mêmes chambres, soldats ou prisonniers, contractent un lien étrange comme si, leurs armures quittées avec les vêtements, ils se rejoignaient chaque soir, par-dessus leurs différences, dans la vieille communauté du songe et de la fatigue. Mais Daru se secouait, il n'aimait pas ces bêtises, il fallait dormir.

Un peu plus tard pourtant, quand l'Arabe bougea imperceptiblement, l'instituteur ne dormait toujours pas. Au deuxième mouvement du prisonnier, il se raidit, en alerte.

somnambulique de somnambule. Ex. Un somnambule marche pendant son sommeil.
huilé souple, facile
interpeller appeler pour demander quelque chose
allure f. manière de marcher
loquet m. barre de métal avec laquelle on ferme la porte
bon débarras Ex. Je suis content qu'il s'en aille, d'être débarrassé de lui.
tendre l'oreille écouter attentivement
s'encastrer remplir l'espace de la porte
du fond de son sommeil au milieu de son sommeil le plus profond
sursaut m. mouvement brusque
apeuré effrayé

1. Comment l'Arabe s'est-il levé?
2. Vers quelle porte est-il allé?
3. Comment Daru a-t-il interprêté la sortie du prisonnier?
4. Qu'a fait l'Arabe en revenant?
5. Qu'a entendu Daru plus tard, pendant son sommeil?
6. Quel temps faisait-il quand il s'est réveillé?
7. Qu'a fait l'Arabe quand Daru l'a secoué?

L'Arabe se soulevait lentement sur les bras, d'un mouvement presque somnambulique. Assis sur le lit, il attendit, immobile, sans tourner la tête vers Daru, comme s'il écoutait de toute son attention. Daru ne bougea pas: il venait de penser que le revolver était resté dans le tiroir de son bureau. Il valait mieux agir tout de suite. Il continua cependant d'observer le prisonnier qui, du même mouvement huilé, posait ses pieds sur le sol, attendait encore, puis commençait à se dresser lentement. Daru allait l'interpeller quand l'Arabe se mit en marche, d'une allure naturelle cette fois, mais extraordinairement silencieuse. Il allait vers la porte du fond qui donnait sur l'appentis. Il fit jouer le loquet avec précaution et sortit en repoussant la porte derrière lui, sans la refermer. Daru n'avait pas bougé: «Il fuit, pensait-il seulement. Bon débarras!» Il tendit pourtant l'oreille. Les poules ne bougeaient pas: l'autre était donc sur le plateau. Un faible bruit d'eau lui parvint alors dont il ne comprit ce qu'il était qu'au moment où l'Arabe s'encastra de nouveau dans la porte, la referma avec soin, et vint se recoucher sans un bruit. Alors Daru lui tourna le dos et s'endormit. Plus tard encore, il lui sembla entendre, du fond de son sommeil, des pas furtifs autour de l'école. «Je rêve, je rêve!» se répétait-il. Et il dormait.

Quand il se réveilla, le ciel était découvert; par la fenêtre mal jointe entrait un air froid et pur. L'Arabe dormait, recroquevillé maintenant sous les couvertures, la bouche ouverte, totalement abandonné. Mais quand Daru le secoua, il eut un sursaut terrible, regardant Daru sans le reconnaître avec des yeux fous et une expression si apeurée que l'instituteur fit un pas en arrière. «N'aie pas peur. C'est moi. Il faut manger.» L'Arabe secoua la tête et dit oui. Le calme était revenu sur son visage, mais son expression restait absente et distraite.

Le café était prêt. Ils le burent, assis tous deux sur le lit

vif (f. *vive*) brillant
maudire dire du mal de, jurer contre
biscotte f. sorte de pain cuit

1. Qu'est-ce que les deux hommes ont bu et mangé?
2. Pourquoi Daru a-t-il montré le robinet à l'Arabe?
3. Qu'a fait Daru avant de sortir de l'école?
4. Pourquoi a-t-il pensé à Balducci?
5. Comment a-t-il exprimé sa fureur?
6. Quelle pensée le rendait fou d'humiliation?
7. Qui maudissait-il?
8. Que faisait l'Arabe quand Daru est retourné sous l'appentis?
9. Comment Daru s'est-il préparé au départ?
10. Qu'a-t-il mis dans le paquet?

de camp, en mordant leurs morceaux de galette. Puis Daru
mena l'Arabe sous l'appentis et lui montra le robinet où il
faisait sa toilette. Il rentra dans la chambre, plia les couvertures et le lit de camp, fit son propre lit et mit la pièce
en ordre. Il sortit alors sur le terre-plein en passant par 5
l'école. Le soleil montait déjà dans le ciel bleu; une lumière
tendre et vive inondait le plateau désert. Sur le raidillon, la
neige fondait par endroits. Les pierres allaient apparaître de
nouveau. Accroupi au bord du plateau, l'instituteur con-
templait l'étendue déserte. Il pensait à Balducci. Il lui avait 10
fait de la peine, il l'avait renvoyé, d'une certaine manière,
comme s'il ne voulait pas être dans le même sac. Il entendait
encore l'adieu du gendarme et, sans savoir pourquoi, il se
sentait étrangement vide et vulnérable. A ce moment, de
l'autre côte de l'école, le prisonnier toussa. Daru l'écouta, 15
presque malgré lui, puis, furieux, jeta un caillou qui siffla
dans l'air avant de s'enfoncer dans la neige. Le crime imbécile de cet homme le révoltait, mais le livrer était contraire
à l'honneur: d'y penser seulement le rendait fou d'humiliation. Et il maudissait à la fois les siens qui lui envoyaient 20
cet Arabe et celui-ci qui avait osé tuer et n'avait pas su
s'enfuir. Daru se leva, tourna en rond sur le terre-plein,
attendit, immobile, puis entra dans l'école.

L'Arabe, penché sur le sol cimenté de l'appentis, se lavait
les dents avec deux doigts. Daru le regarda, puis: «Viens», 25
dit-il. Il rentra dans la chambre, devant le prisonnier. Il
enfila une veste de chasse sur son chandail et chaussa des
souliers de marche. Il attendit debout que l'Arabe eût remis
son chèche et ses sandales. Ils passèrent dans l'école et
l'instituteur montra la sortie à son compagnon. «Va», dit-il. 30
L'autre ne bougea pas. «Je viens», dit Daru. L'Arabe sortit.
Daru rentra dans la chambre et fit un paquet avec des
biscottes, des dattes et du sucre. Dans la salle de classe,
avant de sortir, il hésita une seconde devant son bureau,

franchir traverser
boucler fermer
alentours m. pl. environs, espace qui entoure
aiguille f. rocher pointu, pic
calcaire de carbonate de calcium
pomper (pop.) boire
flaque f. petite quantité d'eau accumulée dans un trou
résonner être sonore
de loin en loin à de grands intervalles
fendre traverser rapidement
aspiration f. action d'aspirer. Ex. On fait de grandes aspirations avant de plonger dans l'eau.
calotte f. petit chapeau rond qui couvre seulement le crâne
*éminence** f. élévation de terrain, hauteur
aplati devenu plat
friable qui peut être réduit en poudre
à partir de de ce point
dévaler aller de haut en bas
amas m. tas, monceau. Ex. Nous faisons des amas de feuilles en automne.
tenir avoir de quoi manger
il ne savait que faire il ne savait pas ce qu'il devait faire

1. Pourquoi est-il revenu sur ses pas après être parti avec l'Arabe?
2. Où les deux hommes se sont-ils reposés après leur marche?
3. Pourquoi le plateau devenait-il sec?
4. Comment se sentait Daru devant le grand espace?
5. Où sont-ils arrivés après une deuxième heure de marche?
6. Quel aspect avait le paysage?
7. Qu'est-ce que Daru a donné à l'Arabe?
8. Quelle était la première direction que Daru lui a montrée?
9. Qui l'attendait dans cette commune?

puis il franchit le seuil de l'école et boucla la porte. «C'est par là», dit-il. Il prit la direction de l'est, suivi par le prisonnier. Mais, à une faible distance de l'école, il lui sembla entendre un léger bruit derrière lui. Il revint sur ses pas, inspecta les alentours de la maison: il n'y avait personne. L'Arabe le regardait faire, sans paraître comprendre. «Allons», dit Daru.

Ils marchèrent une heure et se reposèrent auprès d'une sorte d'aiguille calcaire. La neige fondait de plus en plus vite, le soleil pompait aussitôt les flaques, nettoyait à toute allure le plateau qui, peu à peu, devenait sec et vibrait comme l'air lui-même. Quand ils reprirent la route, le sol résonnait sous leurs pas. De loin en loin, un oiseau fendait l'espace devant eux avec un cri joyeux. Daru buvait, à profondes aspirations, la lumière fraîche. Une sorte d'exaltation naissait en lui devant le grand espace familier, presque entièrement jaune maintenant, sous sa calotte de ciel bleu. Ils marchèrent encore une heure, en descendant vers le sud. Ils arrivèrent à une sorte d'éminence aplatie, faite de rochers friables. A partir de là, le plateau dévalait, à l'est, vers une plaine basse où l'on pouvait distinguer quelques arbres maigres et, au sud, vers des amas rocheux qui donnaient au paysage un aspect tourmenté.

Daru inspecta les deux directions. Il n'y avait que le ciel à l'horizon, pas un homme ne se montrait. Il se tourna vers l'Arabe, qui le regardait sans comprendre. Daru lui tendit un paquet: «Prends, dit-il. Ce sont des dattes, du pain, du sucre. Tu peux tenir deux jours. Voilà mille francs aussi.» L'Arabe prit le paquet et l'argent, mais il gardait ses mains pleines à hauteur de la poitrine, comme s'il ne savait que faire de ce qu'on lui donnait. «Regarde maintenant, dit l'instituteur, et il lui montrait la direction de l'est, voilà la route de Tinguit. Tu as deux heures de marche. A Tinguit, il y a l'administration et la police. Ils t'attendent.» L'Arabe

fit faire obligea de faire
tour m. mouvement circulaire
abriter donner abri, mettre à l'abri

1. Quelle était la deuxième direction?
2. Que feraient les nomades selon leur loi?
3. Pourquoi l'Arabe a-t-il été pris de panique?
4. Qu'a fait alors Daru?
5. Que faisait l'Arabe quand Daru s'est retourné au bout d'un moment?

regardait vers l'est, retenant toujours contre lui le paquet et l'argent. Daru lui prit le bras et lui fit faire, sans douceur, un quart de tour vers le sud. Au pied de la hauteur où ils se trouvaient, on devinait un chemin à peine dessiné. «Ça, c'est la piste qui traverse le plateau. A un jour de marche d'ici, tu trouveras les pâturages et les premiers nomades. Ils t'accueilleront et t'abriteront, selon leur loi.» L'Arabe s'était retourné maintenant vers Daru et une sorte de panique se levait sur son visage: «Écoute», dit-il. Daru secoua la tête: «Non, tais-toi. Maintenant, je te laisse.» Il lui tourna le dos, fit deux grands pas dans la direction de l'école, regarda d'un air indécis l'Arabe immobile et repartit. Pendant quelques minutes, il n'entendit plus que son propre pas, sonore sur la terre froide, et il ne détourna pas la tête. Au bout d'un moment, pourtant, il se retourna. L'Arabe était toujours là,

pendant qui pend, qui tombe
se nouer se serrer, se contracter
jurer blasphémer
ruisseler couler abondamment
essoufflé hors de souffle. Ex. Après la course, le coureur est essoufflé.
se dessiner tracer une silhouette, se profiler
buée f. vapeur
cheminer suivre un chemin, marcher le long d'une route
méandre m. sinuosité. Ex. La Seine fait beaucoup de méandres entre Paris et le Havre.
s'étaler s'étendre de tout son long
au-delà plus loin

1. Comment a-t-il encouragé l'Arabe?
2. Quelle inscription Daru a-t-il lue sur le tableau à son retour?
3. Quels étaient les sentiments de Daru?

au bord de la colline, les bras pendants maintenant, et il regardait l'instituteur. Daru sentit sa gorge se nouer. Mais il jura d'impatience, fit un grand signe, et repartit. Il était déjà loin quand il s'arrêta de nouveau et regarda. Il n'y avait plus personne sur la colline. 5

Daru hésita. Le soleil était maintenant assez haut dans le ® ciel et commençait de lui dévorer le front. L'instituteur revint sur ses pas, d'abord un peu incertain, puis avec décision. Quand il parvint à la petite colline, il ruisselait de sueur. Il la gravit à toute allure et s'arrêta, essoufflé, sur le 10 sommet. Les champs de roche, au sud, se dessinaient nettement sur le ciel bleu, mais sur la plaine, à l'est, une buée de chaleur montait déjà. Et dans cette brume légère, Daru, le cœur serré, découvrit l'Arabe qui cheminait lentement sur la route de la prison. 15

Un peu plus tard, planté devant la fenêtre de la salle de classe, l'instituteur regardait sans la voir la jeune lumière bondir des hauteurs du ciel sur toute la surface du plateau. Derrière lui, sur le tableau noir, entre les méandres des fleuves français s'étalait, tracée à la craie par une main mal- 20 habile, l'inscription qu'il venait de lire: «Tu as livré notre frère. Tu paieras.» Daru regardait le ciel, le plateau et, au-delà, les terres invisibles qui s'étendaient jusqu'à la mer. Dans ce vaste pays qu'il avait tant aimé, il était seul.

Extrait de L'Exil et le Royaume *d'Albert Camus*

Exercices

(Première partie)

Répondez sur le modèle indiqué:

I. Confiez-lui ce zèbre.
® *Réponse:* On m'a dit de te confier ce zèbre.
1. Attendez-le.
2. Accompagnez-le.
3. Ne le quittez pas.
4. Ne soyez pas méchant avec lui.
5. Servez-lui du thé.
6. Ne lui servez pas de thé.
7. Faites-lui signer le papier.
8. Faites-le signer.
9. Liez-lui les mains.
10. Ne lui liez pas les jambes.
11. Laissez-le faire.
12. Ne le laissez pas faire.
13. Défendez-le.
14. Défendez-lui de voyager.
15. N'ayez pas peur de lui.

II. Ils ont déjà entamé le raidillon?
® *Réponse:* Ils n'ont pas encore entamé le raidillon.
1. Ils sont déjà arrivés?
2. C'était déjà l'été?
3. Il attendait déjà?
4. Daru avait déjà chauffé la classe?
5. On apercevait déjà les deux hommes?
6. La neige avait déjà cessé de tomber?
7. La camionnette avait déjà apporté le ravitaillement?
8. Daru avait déjà donné du blé aux pères?

III. Il chauffait encore la classe?
® *Réponse:* Il ne chauffait plus la classe.
1. Il regardait encore?
2. Il avait encore froid?
3. La neige tombait encore?
4. On pouvait encore voir les deux hommes?
5. La camionnette reviendrait encore?
6. Il y avait encore du blé?
7. Les moutons mourraient encore?
8. Les hommes pouvaient encore vivre?

IV. On ne pourrait pas oublier cette misère.
® *Réponse:* Il serait difficile d'oublier cette misère.
On ne pourrait pas oublier...
1. ces fantômes.
2. ces plateaux calcinés.
3. cette terre torréfiée.
4. cette neige.
5. cette tourmente.
6. ce vent.

V. Il pouvait soutenir un siège.
® *Réponse:* Il avait de quoi soutenir un siège.
1. Il pouvait manger pendant la tourmente.
2. Il pouvait ravitailler les Arabes.
3. Il pouvait résister à la misère.
4. Il pouvait chauffer la classe.
5. Il pouvait servir tout le monde.
6. Il pouvait se défendre.

VI. La neige étouffait ses pas.
Réponse: Ses pas étaient étouffés par la neige.
1. L'Arabe a tué l'homme.
2. Le cheval avait effaré les poules.
3. Le gendarme ne tolérera aucun affront.
4. Signeras-tu le papier?
5. Je ne te dénoncerai pas.
6. Il vous a montré la corde.
7. Je ne le livrerai pas.
8. Te répéteront-ils l'ordre?

9. Ils t'auraient vu la nuit.
10. Qui leur a distribué le blé?

VII. Les deux hommes marchent mais Daru ne les aperçoit pas.

Réponse: Les deux hommes marchent sans que Daru les aperçoive.

1. Les deux hommes marchent mais Daru ne les voit pas.
2. L'hiver vient mais personne n'y fait attention.
3. Ça bouge mais Daru ne le sait pas.
4. L'hiver finit mais les Arabes ne peuvent pas faire la soudure.
5. Les deux hommes avancent mais Daru ne les entend pas.
6. La neige est tombée mais Daru n'est pas sorti.
7. C'était la misère mais Daru ne se sentait pas concerné.
8. La neige est tombée mais la pluie n'a pas apporté une détente.

VIII. Complétez les phrases suivantes en vous servant des indications données dans le récit:

1. La piste qui menait à l'école avait disparu à cause...
2. Pendant la tourmente, Daru ne sortait de sa chambre...
3. Daru distribuait des rations de blé à ceux...
4. Le gendarme maintenait son cheval au pas pour...
5. Les ordres que Balducci devaient transmettre à Daru étaient de...
6. Quand la neige serait fondue,...
7. Pour montrer comment l'Arabe avait tué son cousin, le gendarme a fait...
8. Balducci aimait bien Daru parce que...
9. Si Daru refuse de livrer l'Arabe, Balducci...
10. Quand le gendarme est parti, Daru a entendu...

IX. Quelles sont les phrases ou les parties de phrases qui montrent que
1. Le pays est dur à vivre.
2. Balducci est brave et honnête.
3. Daru aime le pays où il vit.

(Deuxième partie)

Répondez sur le modèle indiqué:

I. Il est sorti mais il n'a pas repoussé la porte.
Réponse: Il est sorti sans repousser la porte.
1. Il regardait la lumière mais il ne la voyait pas.
2. Il regardait l'inscription mais il ne la lisait pas.
3. Il est parti mais il n'est pas revenu sur ses pas.
4. Il est parti mais il ne s'est pas retourné.
5. L'Arabe a pris le paquet mais il n'a pas voulu le garder.
6. Daru est resté longtemps au lit mais il n'a pas pu s'endormir.
7. Daru est resté longtemps couché mais il ne s'est pas endormi.
8. L'Arabe a regardé Daru mais il ne l'a pas compris.
9. L'Arabe a regardé Daru mais il ne paraissait pas le comprendre.
10. Daru a servi l'omelette mais il ne l'a pas laissée se refroidir.
11. Daru a servi les dattes mais il ne les a pas fait cuire.
12. Daru a servi le lait mais il ne l'a pas mis à refroidir.

II. Il se lève. Aucun bruit ne vient de la salle.
® *Réponse:* Quand il s'est levé, aucun bruit ne venait de la salle.
1. Il sort. Le vent souffle encore.
2. Il va à l'appentis. La galette cuit.
3. Il revient dans la chambre. La nuit tombe.

4. L'Arabe regarde Daru. Ses yeux sont malheureux.
5. Daru parle à l'Arabe. La lumière lui tombe droit dans les yeux.
6. L'Arabe se soulève. Daru ne dort toujours pas.
7. Daru éteint la lampe. Un léger vent rôde autour de l'école.
8. Daru voit le prisonnier. Celui-ci commence à se dresser.

III. L'Arabe bouge. Daru se raidit.
® *Réponse:* Quand l'Arabe a bougé, Daru s'est raidi.

1. L'Arabe se met en marche. Daru ne bouge pas.
2. L'Arabe sort. Il ne referme pas la porte.
3. L'Arabe se recouche. Daru s'endort.
4. Daru entend tousser le prisonnier. Il jette un caillou.
5. L'Arabe ouvre le robinet. Il fait sa toilette.
6. Les deux hommes arrivent à l'éminence. Daru inspecte les deux directions.
7. Daru part. L'Arabe prend le chemin de la prison.
8. Daru voit le prisonnier. Il sent sa gorge se nouer.

IV. Examen sur les deux exercices précédents.
®
1. Il se réveille. Le ciel est découvert.
2. Daru secoue l'Arabe. Il a un sursaut terrible.
3. Il sort sur le terre-plein. Le soleil monte déjà.
4. Il part. Il lui semble entendre un bruit.
5. Il revient sur ses pas. Il n'y a personne.
6. Ils reprennent la route. Le sol résonne sous leurs pas.
7. Ils s'arrêtent. Ils se trouvent sur une sorte d'éminence.
8. Daru inspecte les deux directions. Il n'y a que le ciel à l'horizon.
9. Il se tourne vers l'Arabe. Il lui tend un paquet.
10. Daru finit de parler. L'Arabe est plein de panique.
11. Daru se retourne. L'Arabe est toujours là.
12. Daru parvient à la colline. Il ruisselle de sueur.

13. Il regarde. L'Arabe chemine sur la route de la prison.
14. Il rentre à l'école. Il découvre l'inscription tragique.

V. La galette cuit. Daru sort.
® *Réponse:* Pendant que la galette cuisait, Daru est sorti.
1. La galette est sur le feu. Daru va sous l'appentis.
2. L'Arabe attend. Daru allume le fourneau.
3. L'Arabe regarde. Daru prend de la farine.
4. Daru prépare le repas. Il heurte le revolver.
5. La galette refroidit. Daru fait chauffer du lait.
6. Daru dort. L'Arabe se lève.
7. L'Arabe fait sa toilette. Daru met la chambre en ordre.
8. L'Arabe se lave les dents. Daru rentre dans la chambre.

VI. La galette cuit. L'Arabe attend.
® *Réponse:* Pendant que la galette cuisait, l'Arabe attendait.
1. Daru écoute le silence. Il pense à sa vie.
2. L'Arabe regarde le plafond. On voit ses lèvres.
3. Le fourneau brûle. On entend le vent.
4. Les deux hommes mangent. La nuit tombe.
5. L'Arabe dort. Daru essaye de le comprendre.
6. Le vent rôde autour de la maison. Le ciel remue doucement.
7. L'Arabe va vers la porte. Ses mouvements sont huilés.
8. Le soleil monte dans le ciel bleu. La neige fond par endroits.

VII. Examen sur les deux exercices précédents.
® 1. L'Arabe attend. Il regarde Daru.
2. Daru prépare le repas. Le prisonnier est là.
3. L'Arabe regarde le plafond. Daru lui dit de le suivre.

4. La nuit tombe. Daru se met au lit.
5. L'Arabe est couché. Daru ne peut pas dormir.
6. L'Arabe dort. Ses yeux semblent ouverts.
7. Daru fait cuire la galette. Il se sent un seigneur.
8. La galette cuit. Daru va chercher des œufs.
9. Il bat les œufs en omelette. Il sent le revolver.
10. L'Arabe pose ses pieds sur le sol. Il attend encore.

VIII. Quelles sont les phrases ou les parties de phrases qui montrent que
1. l'attitude de Daru envers l'Arabe à changé depuis le début du récit.
2. l'Arabe considère Daru comme un ami.
3. Daru est généreux.
4. Daru est dans une situation absurde à la fin du récit.

IX. Complétez les phrases suivantes en vous servant des indications données dans le récit.
1. La frontière de l'éternel été était marquée par...
2. Les trois quarts du pays étaient recouverts...
3. Daru sentit de la joie à la pensée...
4. Daru fit une galette en...
5. Pour laisser refroidir la galette, Daru...
6. Daru a placé le lit de camp perpendiculairement...
7. En regardant le visage de l'Arabe, Daru ne parvenait pas...
8. La présence de l'Arabe gênait Daru parce que...
9. Quand l'Arabe est sorti au milieu de la nuit, Daru a pensé...
10. Le crime de l'Arabe révoltait Daru mais la seule pensée de...
11. Le paysage avait un aspect tourmenté à cause...
12. Si l'Arabe avait pris la direction du sud, il aurait trouvé...

EUGÈNE IONESCO

Eugène Ionesco, né en 1912 d'un père roumain et d'une mère française, est surtout connu pour son «théâtre de l'absurde». Ses pièces (*Les Chaises, La Cantatrice chauve, Le Rhinocéros,* etc.) présentent une vision profondément pessimiste de la condition humaine. Nous retrouvons ce pessimisme dans le récit intitulé *La Photo du Colonel*: dans le beau quartier de la ville où il ferait bon vivre, on ne peut échapper à la cruauté et à la mort.

astiqué poli, étincelant
stationner s'arrêter momentanément
coin m. (fam.) quartier
aisé fortuné

1. Qu'est-ce que le narrateur était allé voir?
2. De quoi étaient entourées les maisons?
3. Comment étaient les rues?
4. Où stationnaient les voitures?
5. Où le narrateur a-t-il mis son pardessus après l'avoir enlevé?
6. Quelle était la profession du compagnon du narrateur?
7. Pourquoi les terrains étaient-ils très chers?
8. Par quelle sorte de gens était habité le quartier?
9. Comment était le ciel dans le reste de la ville?

La Photo du Colonel

I

J'étais allé voir le beau quartier, avec ses maisons toutes blanches entourées de petits jardins fleuris. Les rues, larges, étaient bordées d'arbres. Des voitures neuves, bien astiquées, stationnaient devant les portes, devant les allées des jardins. Le ciel était pur, la lumière bleue. J'enlevai mon pardessus, le mis sur mon bras.

«C'est la règle, dans ce coin, me dit mon compagnon, architecte de la municipalité, le temps y est toujours beau. Aussi, les terrains y sont-ils vendus très cher, les villas construites avec les meilleurs matériaux: c'est un quartier de gens aisés, gais, sains, aimables.

—En effet... Ici, je remarque, les feuilles des arbres ont déjà poussé, suffisamment pour laisser filtrer la lumière, pas trop pour ne pas assombrir les façades, alors que, dans tout le reste de la ville, le ciel est gris comme les cheveux

durcir devenir dur
venter faire du vent
côte d'azur le bord de la mer méditerranéenne
contraint gêné, peu naturel
lumineux plein de lumière
îlot m. petite île
ceinturer entourer
longer aller le long de
bassin m. pièce d'eau dans un parc

1. Quels étaient les signes du printemps?
2. Quel sentiment a-t-on quand on prend l'avion?
3. Par quel moyen de transport le narrateur est-il venu dans le beau quartier?
4. Qu'est-ce que le narrateur ne pouvait pas comprendre au sujet du climat?
5. A quoi l'architecte a-t-il comparé le beau quartier?
6. De quel mirage a parlé le narrateur?
7. Qu'est-ce qu'il y avait au centre du parc?
8. Quelles sortes de maisons les deux hommes ont-ils longées?

d'une vieille femme, et qu'il y a encore de la neige durcie au bord des trottoirs, qu'il y vente. Ce matin, j'ai eu froid au réveil. C'est curieux, on est, tout à coup, au milieu du printemps; c'est comme si je me trouvais à mille kilomètres au sud. Quand on prend l'avion, on a ce sentiment d'avoir assisté à la transfiguration du monde. Encore faut-il aller jusqu'à l'aérodrome, voler deux heures, ou davantage, pour voir l'univers se métamorphoser en côte d'azur, par exemple. Tandis que là, à peine ai-je pris le tramway. Le voyage, qui n'en est pas un, a lieu sur les lieux mêmes, si vous voulez bien excuser ce mauvais petit jeu de mots, d'ailleurs involontaire, fis-je, avec un sourire à la fois spirituel et contraint. Comment expliquez-vous cela? Est-ce un endroit mieux protégé? Il n'y a pas de collines, pourtant, tout autour, pour abriter contre le mauvais temps. D'ailleurs, les collines ne chassent pas les nuages, n'abritent pas de la pluie, n'importe qui le sait. Est-ce qu'il y a des courants chauds et lumineux, venant d'en bas ou d'en haut? On en serait informé. Il n'y a aucun vent, bien que l'air sente bon. C'est curieux.

—C'est un îlot, tout simplement, répondit l'architecte de la ville, une oasis, comme il y en a un peu partout dans les déserts où vous voyez surgir, au milieu des sables arides, des cités surprenantes, couvertes de roses fraîches, ceinturées de sources, de rivières.

—Ah! oui, c'est juste. Vous parlez de ces cités que l'on appelle aussi mirages», dis-je pour montrer que je n'étais pas complètement ignorant.

Nous longeâmes quelque temps un parc de gazon, avec, en son centre, un bassin. Puis, de nouveau, les villas, les hôtels particuliers, les jardins, les fleurs. Nous parcourûmes ainsi près de deux kilomètres. Le calme était parfait, reposant: trop, peut-être. Cela en devenait inquiétant.

«Pourquoi ne voit-on personne dans les rues? demandai-je. Nous sommes les seuls promeneurs. C'est, sans doute,

tintement m. bruit que fait une cloche ou un verre quand il est frappé
cristal (m. pl. *cristaux*) verre de cristal
chantier m. lieu de construction
emplacement m. terrain de construction
soûler rendre ivre (comme un ivrogne)
poumon m. organe avec lequel on respire
suspendre interrompre momentanément
lotissement m. terrain, emplacement
plier bagage partir, s'enfuir
point d'honneur question d'honneur
donner la frousse (fam.) inspirer de la peur
s'enraciner se fixer
cadre m. bordure de bois d'un tableau

1. Comment étaient les fenêtres des maisons?
2. Quelle explication pouvait-on donner de l'absence de gens dans la rue?
3. Qu'est-ce qui était arrivé aux chantiers?
4. Qu'est-ce que la narrateur aurait aimé faire, s'il avait eu de l'argent?
5. Où ne voulait-il plus habiter?
6. Quelle autorité avait suspendu les constructions dans le quartier?
7. Pourquoi cette mesure était-elle inutile?
8. Pourquoi les habitants ne pouvaient-ils pas quitter leur quartier?
9. Quel sentiment les retenait peut-être aussi?
10. Quand sortaient-ils de leurs beaux appartements?
11. Comment s'est senti le narrateur quand l'architecte lui a parlé du danger?

l'heure du déjeuner, les habitants sont chez eux. Pourquoi, cependant, n'entend-on point les rires des repas, le tintement des cristaux? Il n'y a pas un bruit. Toutes les fenêtres sont fermées!»

Nous étions justement arrivés près de deux chantiers récemment abandonnés. Les bâtiments, à moitié élevés, étaient là, blancs au milieu de la verdure, attendant les constructeurs.

«C'est assez charmant! remarquai-je. Si j'avais de l'argent —hélas! je gagne très peu—j'achèterais un de ces emplacements; en quelques jours, la maison serait édifiée, je n'habiterais plus avec les malheureux, dans ce faubourg sale, ces sombres rues d'hiver ou de boue ou de poussière, ces rues d'usines. Ici, ça sent si bon», dis-je, en aspirant un air doux et fort qui soûlait les poumons.

Mon compagnon fronça les sourcils:

«La police a suspendu les constructions. Mesure inutile, car plus personne n'achète des lotissements. Les habitants du quartier voudraient même le quitter. Ils n'ont pas où loger autre part. Sans cela, ils auraient tous plié bagage. Peut-être aussi se font-ils un point d'honneur de ne pas fuir. Ils préfèrent rester, cachés, dans leurs beaux appartements. Ils n'en sortent qu'en cas d'extrême nécessité, par groupes de dix ou quinze. Et même alors, le risque n'est pas écarté.

—Vous plaisantez! Pourquoi prenez-vous cet air sérieux? Vous assombrissez le paysage; vous voulez me donner la frousse?

—Je ne plaisante pas, je vous assure.»

Je sentis un coup au cœur. La nuit intérieure m'envahit. Le paysage resplendissant, dans lequel je m'étais enraciné, qui avait, tout de suite, fait partie de moi-même ou dont j'avais fait partie, se détacha, me devint tout à fait extérieur, ne fut plus qu'un tableau dans un cadre, un objet inanimé. Je me sentis seul, hors de tout, dans une clarté morte.

noyé m. personne morte par immersion dans l'eau
officier du génie officier dont le travail est de fortifier, d'attaquer ou de défendre des places militaires
cerceau m. cercle de bois que font rouler les enfants avec un petit bâton
chevelure f. ensemble des cheveux
pièce d'eau f. bassin, petit réservoir
allons-nous-en (s'en aller) partons
s'éloigner quitter quelque chose
ressentir éprouver

1. Qu'est-ce que l'architecte lui a dit au sujet du bassin?
2. Qui le narrateur a-t-il vu en s'approchant du bassin?
3. Que tenait le garçonnet dans sa main?
4. A quoi ressemblait la chevelure de la femme?
5. Les crimes étaient-ils commis par un seul assassin ou par plusieurs?
6. Pourquoi l'architecte ne courait-il aucun danger?
7. Qu'est-ce qui arriverait quand il prendrait sa retraite?
8. Qu'est-ce que la narrateur a eu hâte de faire après avoir vu les noyés?

«Expliquez-vous! implorai-je. Moi qui espérais passer une bonne journée!... J'étais si heureux, il y a quelques instants!»

Nous retournions, précisément, au bassin.

«C'est là, me dit l'architecte de la municipalité, là-dedans, 5 qu'on en trouve, tous les jours, deux ou trois, noyés.

—Des noyés?

—Venez donc vous convaincre que je n'exagère pas.»

Je le suivis. Arrivés au bord du bassin, j'aperçus, en effet, flottant sur l'eau, le corps d'un officier du génie, 10 gonflé, et celui d'un garçonnet de cinq ou six ans, roulé dans son cerceau et, tenant, dans sa main crispée, un bâtonnet.

«Il y en a même trois, aujourd'hui, murmura mon guide. Là», fit-il, en indiquant du doigt. 15

Une chevelure rousse, que j'avais prise, une seconde, pour de la végétation aquatique, émergeait du fond, demeurait accrochée sur le marbre qui bordait la pièce d'eau.

«Quelle horreur! C'est une femme, sans doute?

—Évidemment, dit-il en haussant les épaules, l'autre 20 c'est un homme, et l'autre un enfant. Nous n'en savons pas plus.

—C'est peut-être la mère du petit... Les pauvres! Qui a fait ça?

—L'assassin. Toujours le même personnage. Insaisissable. 25

—Mais notre vie est menacée. Allons-nous-en! m'écriai-je.

—Avec moi, vous ne courez aucun danger. Je suis architecte de la ville, fonctionnaire municipal; il ne s'attaque pas à l'administration. Lorsque je serai à la retraite, cela changera, mais pour le moment... 30

—Allons-nous-en», fis-je.

Nous nous éloignâmes à grands pas. J'avais hâte de quitter le beau quartier. «Les riches ne sont pas toujours heureux!» pensai-je. J'en ressentis une détresse indicible.

fourbu fatigué à l'extrême
meurtri blessé, qui éprouve de la douleur
morne triste, désolé
par là de ce côté là
mieux vaut il est préférable de
foulard m. sorte de mouchoir qu'on porte au cou
il pleuvait finement il tombait une petite pluie
commissaire (de police) m. magistrat veillant à la sécurité publique
bistrot m. (pop.) établissement où l'on boit
couronne f. fleurs en forme de cercle qu'on place sur les tombes
ne vous en faites pas ne vous inquiétez pas
égorger couper la gorge, tuer
affamer faire souffrir de faim
moribond m. personne qui est près de mourir
de mes yeux vu vu de mes propres yeux

1. Où se trouvait l'arrêt du tramway?
2. Pourquoi le narrateur a-t-il remis son pardessus?
3. Quelle invitation l'architecte lui a-t-il faite?
4. Quelle était l'autre profession de l'architecte?
5. Où se trouvait le bistrot?
6. Qu'est-ce qu'on y vendait aussi?
7. Quels malheurs de l'humanité le commissaire a-t-il énumérés?
8. Comment ne fallait-il pas être devant ces malheurs?

Je me sentis fourbu, meurtri, l'existence vaine. «A quoi bon tout, me disais-je, si ce n'est que pour en arriver là?»

«Vous espérez bien l'arrêter avant de prendre votre retraite? demandai-je.

—Ce n'est pas facile!... Vous pensez que nous faisons tout ce que nous pouvons...», répondit-il, d'un air morne. Puis: «Pas par là, vous allez vous égarer, vous tournez tout le temps en rond, vous ne faites que revenir sur vos pas...

—Guidez-moi... Ah! la journée avait si bien commencé. Je verrai toujours ces noyés, cette image n'abandonnera jamais ma mémoire!

—Je n'aurais pas dû vous montrer...

—Tant pis, mieux vaut tout connaître, mieux vaut tout connaître...»

En quelques instants, nous fûmes à la sortie du quartier, au bout de l'allée en marge du Boulevard Extérieur, à l'arrêt du tramway qui traverse la ville. Des gens étaient là, qui attendaient. Le ciel était sombre. J'étais glacé. Je remis mon pardessus, nouai mon foulard autour du cou. Il pleuvait finement, de l'eau mêlée de neige, le pavé était mouillé.

«Vous n'allez pas rentrer tout de suite chez vous?» me dit le commissaire (c'est ainsi que j'appris qu'il était aussi commissaire). «Vous avez bien le temps de boire un verre...»

Le commissaire semblait avoir repris sa gaieté. Pas moi.

«Il y a un bistrot, là, près de l'arrêt, à deux pas du cimetière, on y vend aussi des couronnes.

—Je n'ai guère envie, vous savez...

—Ne vous en faites pas. Si on pensait à tous les malheurs de l'humanité, on ne vivrait pas. Tout le temps il y a des enfants égorgés, des vieillards affamés, des veuves, des orphelins, des moribonds.

—Oui, monsieur le commissaire, mais avoir vu cela de près, de mes yeux vu..., je ne puis demeurer indifférent.

—Vous êtes trop impressionnable», répondit mon compagnon, me donnant une grosse tape sur l'épaule.

demi m. verre de bière (contenant en principe un demi-litre)
retroussé relevé
poilu couvert de poils
tournée f. ensemble des boissons offertes par quelqu'un
abattu déprimé, très triste
opérer travailler
précision f. détail prècis
comment il s'y prend la façon dont il opère
il ne se fait jamais prendre personne n'a pu l'attraper
il va à leur rencontre il va vers eux
mendiant m. personne qui vit de la charité publique
pleurnicher affecter de pleurer
aumône f. don fait aux pauvres
une entrée en matière introduction, ce qu'on dit avant de parler du sujet
flairer sentir. Ex. Le chien flaire le lapin et le poursuit.

1. Qu'est-ce que le commissaire a commandé?
2. Où les deux hommes se sont-ils installés?
3. Comment était le patron?
4. Quel geste a fait le narrateur quand le patron a apporté la bière?
5. Où était affiché le portrait de l'assassin?
6. Comment avait-on eu le portrait?
7. Comment savait-on comment le criminel s'y prenait pour tuer ses victimes?
8. Qu'est-ce qui arrivait tous les soirs malgré toutes les mesures de précaution?
9. Où l'assassin faisait-il son coup?
10. Comment se déguisait-il?
11. De quelle façon apitoyait-il ses victimes?
12. Quelle sorte d'histoires leur racontait-il?

Nous entrâmes dans la boutique.

«Nous allons tâcher de vous consoler!... Deux demis!» commanda-t-il.

Nous nous installâmes près de la fenêtre. Le gros patron, en gilet, les manches retroussées laissant voir ses énormes 5 bras poilus, vint nous servir:

«Pour vous, j'ai de la vraie bière!»

Je fis un geste pour payer.

«Laissez, laissez, dit le commissaire, c'est ma tournée!»

J'étais toujours abattu. 10

«Au moins, dis-je, si vous aviez son signalement!

—Mais nous l'avons. Du moins, celui sous lequel il opère. Son portrait est affiché sur tous les murs.

—Comment l'avez-vous eu?

—On l'a trouvé sur des noyés. Quelques-unes de ses 15 victimes, agonisantes, rappelées à la vie pour un moment, ont pu même nous fournir des précisions supplémentaires. Nous savons aussi comment il s'y prend. Tout le monde le sait, d'ailleurs, dans le quartier.

—Mais alors pourquoi ne sont-ils pas plus prudents? Ils 20 n'ont qu'à l'éviter.

—Ce n'est pas si simple. Je vous le dis, il y en a toujours, tous les soirs, deux ou trois qui tombent dans le piège. Mais lui, il ne se fait jamais prendre.

—Je n'arrive pas à comprendre.» 25

J'étais étonné de m'apercevoir que cela avait plutôt l'air d'amuser l'architecte.

® «Tenez, me dit-il, c'est là, à l'arrêt du tramway, qu'il fait son coup. Lorsque des passagers en descendent pour rentrer chez eux, il va à leur rencontre, déguisé en mendiant. 30 Il pleurniche, demande l'aumône, tâche de les apitoyer. C'est le truc habituel: il sort de l'hôpital, n'a pas de travail, en cherche, n'a pas où passer la nuit. Ce n'est pas cela qui réussit, ce n'est qu'une entrée en matière. Il flaire, il choisit

s'accrocher s'attacher
ne la lâche pas d'une semelle ne la quitte point
marchander essayer d'obtenir un meilleur prix
s'enquérir s'informer, découvrir
astucieux qui a de la finesse, qui est rusé
en civil en vêtements ordinaires et non en uniforme
débordé qui a trop à faire

1. Quels objets proposait-il de leur vendre?
2. Que faisaient en général les victimes quand l'assassin leur proposait ces services?
3. Qu'est-ce que l'assassin offrait de montrer quand ils étaient arrivés au bassin?
4. Pourquoi la bonne âme devait-elle se pencher?
5. Que faisait alors l'assassin?
6. Qu'est-ce que le narrateur trouvait extraordinaire dans tout cela?
7. Qui le narrateur a-t-il cherché des yeux quand le tramway est arrivé?
8. Pourquoi le commissaire ne postait-il pas d'inspecteur à l'arrêt du tramway?

® la bonne âme. Entame la conversation avec elle, s'accroche, ne la lâche pas d'une semelle. Il propose de lui vendre de menus objets qu'il sort de son panier, des fleurs artificielles, des ciseaux, des miniatures obscènes, n'importe quoi. Généralement, ses services sont refusés, la bonne âme se dépêche, elle n'a pas le temps. Tout en marchandant, il arrive avec elle près du bassin que vous connaissez. Alors, tout de suite, c'est le grand moyen: il offre de lui montrer la photo du colonel. C'est irrésistible. Comme il ne fait plus très clair, la bonne âme se penche pour mieux voir. A ce moment, elle est perdue. Profitant de ce qu'elle est confondue dans la contemplation de l'image, il la pousse, elle tombe dans le bassin, elle se noie. Le coup est fait. Il n'a plus qu'à s'enquérir d'une nouvelle victime.

—Ce qui est extraordinaire, c'est qu'on le sache et qu'on se laisse surprendre quand même.

—C'est un piège, que voulez-vous. C'est astucieux. Il n'a jamais été pris sur le fait.»

Machinalement, je regardai les gens descendre du tramway qui, justement, venait d'arriver. Je n'y vis aucun mendiant.

«Vous ne le verrez pas, me dit le commissaire, devinant ma pensée, il ne se montrera pas, il sait que nous sommes là.

—Peut-être feriez-vous bien de poster, à cet endroit, un inspecteur en civil, de façon permanente.

—Ce n'est pas possible. Nos inspecteurs sont débordés, ils ont autre chose à faire. D'ailleurs, eux aussi voudraient voir la photo du colonel. Il y en a eu déjà cinq de noyés, comme ça. Ah! si nous avions les preuves, nous saurions où le trouver!»

quotidien m. journal qui paraît tous les jours
se vanter se glorifier, être plein de vanité
bénévole gratuit, désintéressé
bahut m. coffre de bois à couvercle bombé

1. Qu'a fait le narrateur avant de quitter le commissaire?
2. Pourquoi les révélations du commissaire ne paraîtraient-elles jamais dans un journal?
3. Qui attendait le narrateur à son retour?
4. Comment était le salon?
5. Comment étaient la figure et les yeux d'Édouard?
6. Pourquoi a-t-il arrêté le narrateur dès les premiers mots?
7. Pourquoi Édouard n'avait-il jamais parlé de l'histoire du bassin?
8. Quelle était la maladie d'Édouard?
9. Quelle proposition Édouard a-t-il faite au narrateur?

II

Je quittai mon compagnon, non sans l'avoir remercié d'avoir bien voulu m'emmener visiter le beau quartier, et aussi de s'être si aimablement laissé interviewer au sujet de tous ces crimes impardonnables. Hélas, ses révélations instructives ne paraîtront dans aucun quotidien: je ne suis pas journaliste, je ne me suis jamais vanté de l'être. Les renseignements du commissaire-architecte avaient été purement bénévoles. Ils m'avaient rempli d'angoisse, gratuitement. Ce fut plein d'un malaise indéfinissable que je regagnai la maison.

Édouard m'y attendait dans le salon de l'éternel automne, bas de plafond, sombre (l'électricité ne fonctionne pas dans la journée). Il était là, assis sur le bahut, près de la fenêtre, de noir vêtu, tout mince, la figure pâle et triste, les yeux ardents. Sans doute avait-il encore un peu de fièvre. Il remarqua que j'étais accablé, m'en demanda la raison. Lorsque je voulus lui exposer l'affaire, il m'arrêta dès les premiers mots: il connaissait l'histoire, m'apprit-il de sa voix tremblante, presque enfantine, il était même surpris que je ne l'eusse pas connue, moi-même, plus tôt. Toute la ville était au courant. C'est pour cela qu'il ne m'en avait jamais parlé. C'était une chose sue depuis longtemps, assimilée. Regrettable, certes.

«Très regrettable!» fis-je.

A mon tour, je ne lui cachai pas ma surprise qu'il n'en fût pas plus bouleversé. Après tout, peut-être étais-je injuste, peut-être était-ce cela le mal qui le rongeait, car il était tuberculeux. On ne peut connaître le cœur des gens.

«Si on allait se promener un peu, dit-il. Je vous attends depuis une heure. Je gèle chez vous. Il fait certainement plus chaud dehors.»

feutre m. étoffe de laine utilisée dans la fabrication des chapeaux
crêpe m. étoffe de soie ou de laine. Ex. On porte le crêpe quand un parent ou un ami est mort.
bourré rempli
se précipiter se lancer en avant
une bonne tête une tête sympathique
attendrissant qui touche
infirme m. personne privée de l'usage d'un membre, malade
tirelire m. petite boîte servant à économiser de l'argent
fourbi m. (fam.) tas

1. Qu'est-ce que le narrateur aurait préféré faire?
2. De quoi était orné le chapeau d'Édouard?
3. Qu'est-ce qu'Édouard a laissé tomber?
4. Qu'est-ce que les photos représentaient?
5. Quels autres objets ont-ils trouvés dans la serviette?

Quoique déprimé, fatigué (j'aurais préféré aller me coucher), j'acceptai de l'accompagner.

Il se leva, mit son chapeau de feutre orné d'un crêpe noir, son pardessus gris-fer, prit sa lourde serviette bourrée qu'il laissa tomber avant d'avoir fait un pas. Celle-ci s'ouvrit 5 dans sa chute. Nous nous précipitâmes, en même temps. D'une des poches de la serviette, des photos s'étaient échappées, représentant un colonel en grand uniforme, moustachu, un colonel quelconque, une bonne tête plutôt attendrissante. Nous mîmes la serviette sur la table, pour y 10 fouiller plus à l'aise: nous en sortîmes encore des centaines de photos avec le même modèle.

«Qu'est-ce que cela veut dire? demandai-je, c'est la photo, la fameuse photo du colonel! Vous l'aviez là, vous ne m'en aviez jamais parlé! 15

—Je ne regarde pas tout le temps dans ma serviette, répliqua-t-il.

—C'est votre serviette pourtant, vous ne vous en séparez jamais!

—Ce n'est pas une raison. 20

—Bref, profitons de l'occasion, tant qu'on y est, cherchons encore.»

Il plongea, dans les autres poches de son énorme serviette noire, sa main trop blanche d'infirme, aux doigts recourbés. Il en retira (comment tout cela pouvait-il tenir là-dedans?) 25 des quantités inimaginables de fleurs artificielles, des images obscènes, des bonbons, des tirelires, des montres d'enfant, des épingles, des porte-plume, des boîtes en carton, que sais-je encore, tout un fourbi, des cigarettes («Celles-là m'appartiennent», dit-il). Il n'y avait plus de 30 place sur la table.

—Ce sont les objets du monstre! m'écriai-je. Vous les aviez là!

—Je n'en savais rien.

feuilleter lire à la hâte, tourner les feuilles rapidement

1. Quelle indication se trouvait sur les cartes de visite?
2. Qu'est-ce qu'il y avait dans le journal intime?

—Videz tout, l'encourageai-je. Allez!»

Il continua de fouiller. Des cartes de visite apparurent avec le nom, l'adresse du criminel, sa carte d'identité avec photo, puis, dans un petit coffret, des fiches avec les noms de toutes les victimes; un journal intime que nous feuille- 5 tâmes, avec ses aveux détaillés, ses projets, son plan d'action minutieux, sa déclaration de foi, sa doctrine.

«Vous avez là toutes les preuves. Nous pouvons le faire arrêter.

—Je ne savais pas, balbutia-t-il, je ne savais pas... 10

—Vous auriez pu épargner tant de vies humaines, lui reprochai-je.

—Je suis confus. Je ne savais pas. Je ne sais jamais ce que j'ai, je ne regarde pas dans ma serviette.

—C'est une négligence condamnable! dis-je. 15

revue f. publication périodique
porter à conséquence avoir des conséquences, être important
horaire m. emploi de temps
bousculer pousser avec violence

1. Par quels signes s'est manifestée la confusion d'Édouard?
2. Pourquoi le criminel lui avait-il envoyé tous ces objets?
3. Lui avait-il envoyé ces objets avant ou après l'accomplissement des meurtres?
4. Qu'est-ce qu'Édouard regrettait?
5. Quelles indications étaient sur le plan qu'ils ont trouvé?
6. Qu'est-ce que la narrateur a alors proposé de faire?
7. Pourquoi devaient-ils se dépêcher?
8. Qui les deux hommes ont-ils bousculé dans le couloir?

—Je m'en excuse. Je suis navré.

—Enfin, Édouard, tout de même, ces choses ne sont pas venues toutes seules là-dedans. Vous les avez trouvées, vous les avez reçues!»

J'eus pitié. Il était devenu tout rouge, vraiment honteux. Il fit un effort de mémoire.

«Ah, oui! s'écria-t-il au bout de quelques secondes. Je me rappelle à présent. Le criminel m'avait envoyé son journal intime, ses notes, ses fiches, il y a bien longtemps, me priant de les publier dans une revue littéraire, c'était avant l'accomplissement des meurtres; j'avais complètement perdu tout cela de vue. Je crois que lui-même ne pensait pas les perpétrer; il n'a dû songer que par la suite à mettre ses projets en acte; quant à moi, j'avais pris cela pour des rêveries ne portant pas à conséquence, de la science-fiction. Je regrette de ne pas avoir réfléchi à la question, de ne pas avoir mis tous ces documents en rapport avec les événements.

—Le rapport est, pourtant, celui de l'intention à la réalisation, ni plus, ni moins, c'est clair comme le jour.»

De la serviette, il retira aussi une grande enveloppe que nous ouvrîmes: c'était une carte, un plan très précis avec, bien indiqués, tous les endroits où se trouvait l'assassin, et son horaire exact, minute par minute.

«C'est simple, dis-je. Avertissons la police, il ne reste plus qu'à le cueillir. Dépêchons-nous, les bureaux de la préfecture ferment avant la nuit. Après, il n'y a plus personne. D'ici demain, il pourrait modifier ses plans. Allons voir l'architecte, montrons-lui les preuves.

—Je veux bien», fit Édouard, plutôt indifférent.

Nous sortîmes en courant. Dans le couloir, nous bousculâmes la concierge, au passage: «On n'a pas idée... », s'écria-t-elle. Le reste de sa phrase se perdit dans le vent.

Sur la grande avenue, essoufflés, nous dûmes ralentir. A

à perte de vue aussi loin qu'on peut voir
immeuble m. grand bâtiment
dépouillé dénudé, sans feuilles
camion m. véhicule pour les gros transports
chaussée f. partie de la rue où roulent les véhicules
surélevé plus haut que le reste
vous l'aviez sur vous vous l'aviez à la main
étourdi m. personne qui agit sans penser
ahurissant extraordinaire
piéton m. personne à pied
foncé sombre
œillet m. fleur qu'on met souvent à la boutonnière, à un mariage, par exemple.
éventail m. objet léger et plat qu'on emploie à la main pour faire circuler l'air
flic m. (pop.) agent de police

1. Qu'est-ce qu'il y avait à droite et à gauche de l'avenue?
2. Qu'est-ce que les deux hommes ont longé?
3. Qu'est-ce qui a soudain bloqué la route?
4. Pourquoi la chaussée semblait-elle surélevée?
5. De quoi s'est aperçu le narrateur à ce moment?
6. Quels reproches a-t-il faits à Édouard?
7. Que lui a-t-il demandé de faire?
8. Que voulait faire le narrateur pendant ce temps?
9. Où étaient assis les soldats?
10. Qu'est-ce que l'un des soldats tenait à la main?
11. Qu'est-ce qu'il en faisait?
12. Pourquoi des flics sont-ils arrivés?

droite, les champs s'étendaient, labourés, à perte de vue. A gauche, les premiers immeubles de la ville. Droit devant nous, le soleil couchant empourprait le ciel. Des deux côtés, de rares arbres, dépouillés. Peu de passants.

Nous longions les rails du tramway (celui-ci ne circulait-il déjà plus?) qui s'étendaient, loin jusqu'à l'horizon.

Trois ou quatre gros camions militaires, venus je ne sais d'où, bloquèrent soudain la route. Ils étaient stoppés, en marge du trottoir; celui-ci, à cet endroit, descendait sous le niveau de la chaussée qui, elle, semblait, de ce fait, surélevée.

Édouard et moi dûmes nous arrêter un instant: heureusement, car cela me permit de m'apercevoir que mon ami n'avait pas sa serviette: «Qu'en avez-vous fait, je croyais pourtant que vous l'aviez sur vous?» lui dis-je. L'étourdi! Il l'avait oubliée à la maison, dans notre précipitation.

«Ça ne servirait à rien d'aller voir le commissaire sans nos preuves! A quoi pensez-vous donc? Vous êtes ahurissant! Retournez vite la chercher. Je dois continuer mon chemin, il faut, au moins, que j'aille à la préfecture, prévenir le commissaire à temps, qu'il attende. Dépêchez-vous, retournez, tâchez de me rejoindre au plus tôt. La préfecture est tout au bout. Dans une entreprise comme celle-ci, je n'aime pas être seul sur la route, c'est désagréable, vous comprenez.»

Édouard disparut. J'avais assez peur. Le trottoir s'enfonçait davantage, si bien que l'on avait dû construire des marches, quatre, exactement, pour que les piétons accédassent à la chaussée. J'étais tout près d'un des gros camions (les autres étaient devant, derrière). Celui-là était découvert, avec des rangées de bancs, sur lesquels étaient assis, serrés, une quarantaine de jeunes soldats, en uniforme foncé. L'un d'entre eux tenait à la main un épais bouquet d'œillets rouges. Il s'en servait comme d'un éventail.

Quelques flics arrivèrent pour régler la circulation, à

embouteillage m. arrêt de la circulation des véhicules
d'une taille démesurée excessivement grand
dépasser être plus grand
rogue arrogant, grossier
ne jouait pas en faveur de n'était pas à l'avantage de
envoyer promener congédier avec rudesse, dire de continuer son chemin
relier rattacher
embarrasser gêner les mouvements, obstruer
n'y étaient pour rien ne jouaient aucun rôle

1. Qu'est-ce qui montrait leur taille démesurée?
2. Qu'est-ce qu'un monsieur a demandé à l'un des agents?
3. Pourquoi a-t-il répété sa question?
4. Qu'a fait alors le flic?
5. Qu'a pensé le narrateur en voyant cette attitude?
6. Comment ne fallait-il pas être avec les policiers, selon le narrateur?
7. De quoi le second agent a-t-il accusé les soldats?

coups de sifflets. Ils faisaient bien, cet embouteillage me retardait. Ils étaient d'une taille démesurée. L'un d'eux, installé près d'un arbre, le dépassait quand il levait son bâton.

Chapeau bas, petit, modestement vêtu, un monsieur aux cheveux blancs, paraissant plus petit encore aux côtés de l'agent, lui demanda, très, trop poliment, avec humilité, un modeste renseignement. Sans s'interrompre dans ses signaux, le flic, d'un ton rogue, donna une réponse brève au retraité (qui eût pu, cependant, être son père, étant donnée la différence d'âge, sinon celle de la taille, qui ne jouait pas en faveur du vieillard). Celui-ci, sourd, ou n'ayant peut-être pas compris, répéta sa question. Le flic l'envoya promener d'un mot rude, tourna la tête, continua son travail, siffla.

L'attitude de l'agent m'avait choqué. Il avait pourtant *le devoir* d'être poli avec le public: ce doit certainement être inscrit dans le règlement. «Lorsque je verrai son chef, l'architecte, je tâcherai de ne pas oublier de lui en parler! pensai-je. Quant à nous, nous sommes trop polis, trop timides avec les policiers, nous leur avons donné de mauvaises habitudes, c'est notre faute.»

Un second agent, aussi grand que le premier, arriva tout près de moi, sur le trottoir; les camions, l'embouteillage, l'ennuyaient visiblement, en quoi, il faut l'admettre, il n'avait pas tort. Sans qu'il eût besoin de monter sur les marches reliant le trottoir à la chaussée, il s'approcha tout près du camion plein de soldats. Sa tête, bien que ses pieds fussent au niveau des miens, dépassait légèrement leurs têtes. Il réprimanda durement—les accusant d'embarrasser la circulation—les militaires qui n'y étaient pour rien, et spécialement le jeune porteur du bouquet d'œillets rouges, qui y était encore pour moins.

«Vous n'avez pas autre chose à faire que de vous amuser avec ça? lui dit-il.

démarrer partir
enrayer arrêter (le fonctionnement du moteur)
gifler donner un coup avec la main ouverte sur la joue
ne dit mot ne dit pas un mot
J'en fus Je m'en allai
outré indigné, offensé
avoir le pas être supérieur à, venir d'abord
avoir la main sur commander
vous mêlez-vous vous introduisez-vous au mauvais moment
ficher (très fam.) faire
ce n'est pas mon rayon je ne suis pas compétent en la matière
boulot m. (pop.) travail
lié ami
fichez-moi la paix (fam.) laissez-moi en paix
direction f. personnel qui dirige
déguerpissez allez-vous-en
voie f. route, chemin
eusse= aurais

1. Qu'a dit le soldat au sujet du bouquet de fleurs?
2. Qu'a fait alors l'agent?
3. Vers qui s'est-il tourné ensuite?
4. Pourquoi cela était-il surprenant?
5. Qu'est-ce que le narrateur a expliqué à l'agent?
6. Quelle réponse l'agent lui a-t-il faite?
7. Quel signe le second agent a-t-il fait au narrateur?
8. Que lui a-t-il dit avec rage?

—Je ne fais pas de mal, monsieur l'agent, répondit le soldat très doucement, d'une voix timide; ce n'est pas cela qui empêche le camion de démarrer.

—Insolent, ça enraye le moteur!» s'écria l'agent de police, en giflant le soldat. Celui-ci ne dit mot. Puis l'agent lui arracha les fleurs, les jeta: elles disparurent.

J'en fus, intérieurement, outré. Je considère qu'un pays est perdu dans lequel la police a le pas, et la main, sur l'armée.

«De quoi vous mêlez-vous? Est-ce que ça vous regarde?» dit-il en se tournant vers moi.

Pourtant, je n'avais pas exprimé mes pensées à haute voix. Elles devaient être faciles à deviner.

«D'abord, qu'est-ce que vous fichez là?»

Je profitai de la question pour lui expliquer mon cas, éventuellement demander son conseil, son aide.

«J'ai toutes les preuves, dis-je, on peut mettre la main sur l'assassin. Je dois me rendre à la préfecture. C'est encore assez loin. Peut-on m'y accompagner? Je suis un ami du commissaire, de l'architecte.

—Ce n'est pas mon rayon. Je suis dans la circulation.

—Tout de même...

—Ce n'est pas mon boulot, vous m'entendez! Votre histoire ne m'intéresse pas. Puisque vous êtes lié avec le chef, allez donc le voir et fichez-moi la paix. Vous connaissez la direction, déguerpissez, la voie est libre.

—Bon, monsieur l'agent, dis-je, aussi poli, malgré moi, que le soldat; bon, monsieur l'agent!»

Le flic s'adressa à son collègue, posté à côté de l'arbre et, durement ironique:

«Laisse passer monsieur!»

Ce dernier, dont je voyais la figure à travers les branches, me fit signe de filer. Comme je passais près de lui:

«Je vous déteste!» me lança-t-il, avec rage, alors que c'est moi qui eusse été en droit de lui dire cela.

bise f. vent du nord
embêter (pop.) ennuyer
se profiler se présenter de profil
pile abruptement
compte m. ce qu'il faut payer
dévisager regarder avec insistance
ricaner rire méchamment
entre deux âges ni jeune ni vieux
maigriot assez maigre
chétif faible, misérable
orteil m. doigt du pied. Ex. Chaque pied a cinq orteils.

1. Vers où a marché le narrateur ensuite?
2. Pourquoi était-il inquiet?
3. Qu'est-ce qui est arrivé soudain?
4. Pourquoi aucun secours n'était-il possible?
5. Comment les deux hommes se sont-ils regardés?
6. Quelle sorte d'homme était l'assassin?
7. Quels étaient ses vêtements?

Je me trouvai seul au milieu de la route, les camions déjà loin derrière moi. J'allais vivement, droit vers la préfecture. Le jour baissait, la bise se faisait dure, j'étais inquiet. Édouard pourrait-il me rejoindre à temps? Et j'étais en colère contre la police: ces gens-là ne sont bons que pour vous embêter, pour vous apprendre les bonnes manières, mais quand vous avez vraiment besoin d'eux, quand c'est pour vous défendre,... à d'autres!... ils vous laissent tomber!

Il n'y avait plus de maisons, à ma gauche. Des deux côtés, les champs gris. Cette route, ou cette avenue, n'en finissait plus avec ses rails de tramway. Je marchais, marchais: «Pourvu qu'il ne soit pas trop tard, pourvu qu'il ne soit pas trop tard!»

Brusquement, il surgit devant moi. Aucun doute, c'était l'assassin: autour de nous, rien que la plaine assombrie. Le vent jeta contre le tronc d'un arbre nu une feuille d'un vieux journal, qui s'y colla. Derrière l'homme, au loin, à plusieurs centaines de mètres, se profilaient, dans le soleil couchant, les bâtiments de la préfecture, près de l'arrêt du tramway que l'on voyait arriver; des gens en descendaient, tout menus à cette distance. Aucun secours n'était possible, ils étaient beaucoup trop loin, ils ne m'auraient pas entendu.

Je m'arrêtai pile, paralysé sur place. «Ces sales flics, pensai-je, ils ont fait exprès de me laisser seul avec lui; ils veulent que l'on croie qu'il ne se sera agi que d'un règlement de comptes!»

Nous étions face à face, à deux pas l'un de l'autre. Je le regardai, en silence, attentif. Il me dévisageait, lui aussi, à peine ricanant.

C'était un homme entre deux âges, maigriot, chétif, très court de taille, mal rasé, ne semblant pas avoir ma force physique. Il portait une gabardine usée et sale, déchirée aux poches, des chaussures aux bouts troués, à travers lesquels ses orteils perçaient. Sur la tête, il avait un chapeau

abîmer ruiner, endommager
informe sans forme
livide de couleur bleuâtre
éclat m. vive lumière
tranchant m. fil d'un couteau, côté coupant d'un couteau
implacable qui ne peut être apaisé
fléchir attendrir, faire changer de plan
*vanité** f. qualité de ce qui est futile
*calvaire** m. endroit où on a planté une croix
braquer diriger une arme vers quelqu'un

1. Que tenait-il à la main?
2. Comment était son regard?
3. A quoi ce regard était-il insensible?
4. Qu'est-ce que le narrateur a sorti de ses poches?
5. Qu'en a-t-il fait après?
6. Pourquoi se sentait-il désespéré?

tout abîmé, informe; une main dans la poche; de l'autre, crispée, il tenait un couteau avec une grande lame, projetant une lueur livide. Il me fixait de son œil unique, glacial, de la même matière, du même éclat que le tranchant de son arme. 5

® Jamais je n'avais vu un regard si cruel, d'une telle dureté —et pourquoi?—d'une telle férocité. Un œil implacable, de serpent peut-être, ou de tigre, meurtrier sans besoin. Aucune parole, amicale ou autoritaire, aucun raisonnement n'auraient pu le convaincre; toute promesse de bonheur, 10 tout l'amour du monde, n'auraient pu l'atteindre; ni la beauté n'aurait pu le faire fléchir, ni l'ironie lui faire honte, ni tous les sages du monde lui faire comprendre la vanité du crime comme de la charité.

Les larmes des saints auraient glissé, sans le mouiller, sur 15 cet œil sans paupières, ce regard d'acier; des bataillons de Christ se seraient succédé, en vain, pour lui, sur les calvaires.

Lentement, je sortis de mes poches mes deux pistolets, les braquai, en silence, deux secondes, sur lui, qui ne bougeait pas, puis les baissai, laissai tomber mes bras le 20 long du corps. Je me sentis désarmé, désespéré: car que peuvent les balles, aussi bien que ma faible force, contre la haine froide, et l'obstination, contre l'énergie infinie de cette cruauté absolue, sans raison, sans merci?

Extrait de La Photo du Colonel *d'Eugène Ionesco*

Exercices

(Première partie)

Répondez sur le modèle indiqué:

I. Vous exagérez.
® *Réponse:* Venez donc vous convaincre que je n'exagère pas!
1. Vous inventez cela.
2. Vous plaisantez.
3. Vous dites cela pour rire.
4. Vous tournez en rond.
5. Vous êtes en danger.
6. Il y a des habitants.
7. Ça sent bon.
8. Il pleut.

II. Je vais voir.
® *Réponse:* J'étais allé voir.
1. Ils descendent.
2. Il sort de l'hôpital.
3. Vous revenez au bassin.
4. Ils deviennent sombres.

III. Je m'éloigne du bassin.
® *Réponse:* Je m'étais éloigné du bassin.
1. Tu te fais prendre.
2. Ils se comprennent tout de suite.
3. Vous vous sentez malade.
4. Il s'en va.

IV. Il sent un coup.
® *Réponse:* Il avait senti un coup.
1. Je prends le tramway.
2. Il faut rentrer.
3. Nous avons peur.
4. Elles veulent quitter le quartier.

V. Examen sur les trois exercices précédents.

® 1. Ils vont au bistrot.
2. Vous sortez.
3. Je m'égare.
4. Le temps est beau.
5. Nous faisons un voyage.
6. Vous vous faites servir.
7. Je vous comprends.
8. Tu ne reviens pas.
9. Nous avons envie de boire.
10. Ils sentent l'air doux.

VI. Dites-lui de s'en aller.

® *Réponse:* Allez-vous-en!

Dites-lui de... 1. s'y arrêter. 2. s'en éloigner. 3. s'y accrocher. 4. s'en servir.

VII. Dites-lui de ne pas s'en faire.

® *Réponse:* Ne vous en faites pas.

Dites-lui de ne pas... 1. s'en aller. 2. s'y noyer. 3. s'en servir. 4. s'y arrêter.

VIII. Examen sur les deux exercices précédents.

® Dites-lui de...

1. ne pas s'en aller.
2. s'en aller.
3. ne pas s'y arrêter.
4. s'y arrêter.
5. s'en servir.
6. ne pas s'en servir.
7. ne pas s'en faire.
8. ne pas s'y noyer.
9. s'amuser.
10. ne pas s'en amuser.

IX. J'ai l'impression de me trouver au sud.

Réponse: C'est comme si je me trouvais au sud.

J'ai l'impression...

1. de ne pas savoir.
2. d'avoir peur.
3. de vous voir pour la première fois.

4. d'être ignorant.
5. de sentir la frousse.
6. de me trouver sur une côte d'azur.

X. Il est préférable de tout connaître.
Réponse: Mieux vaut tout connaître.
Il est préférable... 1. de s'en aller.
2. de quitter ce quartier.
3. d'aller autre part.
4. de prendre le tramway.
5. de faire un voyage.
6. de vendre la maison.

XI. Pour cette raison, les terrains sont vendus très chers.
Réponse: Aussi les terrains sont-ils vendus très chers.
Pour cette raison,...
1. il faut aller ailleurs.
2. il est nécessaire de fermer les fenêtres.
3. nous avons cherché partout.
4. tu as compris tout de suite.
5. vous prendrez le tramway.
6. j'ai vendu la villa.

XII. Il lui a montré la photo.
® *Réponse:* Je n'aurais pas dû vous montrer la photo.
1. Il lui a parlé.
2. Il l'a vu.
3. Il l'a choisi.
4. Il lui a vendu cet objet.
5. Il l'a servi.
6. Il l'a attendu.
7. Il lui a offert cet objet.
8. Il lui a fait peur.

XIII. Décrivez l'assassin en action en vous servant des indications suivantes: Arrêt du tramway, faire son coup. Passagers descendre, aller à leur rencontre, déguisé, mendiant. Pleurnicher, aumône, apitoyer. Truc habituel: sortir hôpital, pas de travail, passer la nuit. Flairer, choisir bonne âme. Entamer conversation, ne pas lâcher d'une semelle. Proposer vendre objets, sortir panier, fleurs artificielles, ciseaux, n'importe quoi. Généralement, bonne âme se dépêcher. Tout en marchandant, arriver près bassin. Alors, grand moyen: offrir montrer photo colonel. Irrésistible. Ne plus faire très clair, se pencher mieux voir. Profiter confondue contemplation image, pousser, tomber bassin, se noyer. Coup fait. S'enquérir nouvelle victime.

(Deuxième partie)

Répondez sur le modèle indiqué:

I. Je ne me vante jamais.
® *Réponse:* Je ne me suis jamais vanté.
1. L'électricité ne fonctionne jamais.
2. Tu ne sais jamais rien.
3. Il ne m'en parle jamais.
4. Vous ne vous en séparez jamais.
5. Je n'y regarde jamais.
6. On ne peut jamais comprendre les gens.
7. Nous ne nous dépêchons jamais.
8. Ça ne sert jamais à rien.

II. Il aimerait aller se promener.
® *Réponse:* Si on allait se promener?
Il aimerait...
1. avertir la police.
2. faire une promenade.
3. mettre la serviette sur la table.
4. réfléchir à la question.

5. ouvrir l'enveloppe.
6. se rendre à la préfecture.
7. se servir des preuves.
8. prévenir le commissaire.

III. Vous ne réfléchissez jamais.

® *Réponse:* Je regrette de ne pas avoir réfléchi.

1. Vous ne remerciez jamais.
2. Vous n'attendez jamais.
3. Vous ne comprenez jamais.
4. Vous n'êtes jamais poli.

IV. Vous ne sortez jamais.

® *Réponse:* Je regrette de ne pas être sorti.

1. Vous n'entrez jamais.
2. Vous ne restez jamais.
3. Vous ne venez jamais.
4. Vous ne descendez jamais.

V. Vous ne vous rappelez jamais.

® *Réponse:* Je regrette de ne pas m'être rappelé.

1. Vous ne vous promenez jamais.
2. Vous ne vous excusez jamais.
3. Vous ne vous dépêchez jamais.
4. Vous ne vous laissez jamais interviewer.

VI. Examen sur les trois exercices précédents.

®

1. Vous ne venez jamais.
2. Vous ne vous amusez jamais.
3. Vous ne savez jamais rien.
4. Vous n'allez jamais travailler.
5. Vous ne vous en allez jamais à l'heure.
6. Vous n'apprenez jamais rien.
7. Vous ne me servez jamais.
8. Vous ne vous servez jamais.
9. Vous ne descendez jamais.
10. Vous n'êtes jamais poli.

VII. Il s'amuse.

® *Réponse:* Vous n'avez pas autre chose à faire que de vous amuser?

1. Il se promène.
2. Il siffle.
3. Il attend.
4. Il va chez le commissaire.
5. Il bouscule les gens.
6. Il se sert du bouquet.
7. Il se rend à la préfecture.
8. Il se couche.

VIII. Il doit aller à la préfecture.

® *Réponse:* Il faut que j'aille à la préfecture.

Il doit...

1. attendre le tramway.
2. mettre son chapeau.
3. prendre sa serviette.
4. sortir la photo.
5. savoir la réponse.
6. recevoir les objets.
7. descendre.
8. apercevoir l'assassin.
9. rejoindre le commissaire.
10. disparaître.
11. construire une villa.
12. se servir des objets.
13. se rendre à la préfecture.
14. faire signe.
15. comprendre.

IX. Allons voir le commissaire.

® *Réponse:* Ça ne servirait à rien d'aller voir le commissaire.

1. Allons le voir.
2. Prévenons-le.

3. Faisons-le comprendre.
4. Arrêtons-nous.
5. Défendons-nous.
6. Rejoignons le commissaire.
7. Rendons-nous à la préfecture.
8. Pensons-y.
9. Soyons polis.
10. Parlons-lui-en.

X. Nous sommes trop polis.
Réponse: Quant à nous, nous sommes trop polis.
1. Je suis trop poli.
2. Vous êtes trop poli.
3. Elle est trop polie.
4. Ils sont trop polis.
5. Tu es trop poli.
6. Il est trop poli.
7. Elles sont trop polies.

XI. Quelles sont les phrases ou les parties de phrases qui montrent que...
1. Le personnage d'Édouard est bizarre.
2. Le narrateur rapporte certains faits inexplicables.
3. Le narrateur n'aime pas la police.
4. L'assassin est un être abject, au physique comme au moral.
5. Le style contribue à créer une atmosphère d'angoisse.

JEAN-LOUIS CURTIS

Né en 1917, l'écrivain français Jean-Louis Curtis obtint le prix Goncourt (1947) avec son troisième roman *Les Forêts de la nuit*. Dans le récit suivant, construit surtout en dialogues, Curtis part d'un fait banal pour décrire avec un cruel réalisme ce qui se passe dans le cœur d'une vieille femme avare et sauvage qui découvre le monde moderne—et dans celui d'une jeune fille qui s'enferme dans l'avarice.

coffret m. petite boîte pour les objets précieux
récurer nettoyer
mais enfin quoi mais alors (expression qui marque l'impatience)
je te le donne en mille —Devine!

1. Que faisait la mère quand la jeune fille est entrée dans la cuisine?
2. Qu'est-ce qui était arrivé à la vieille femme?

Le Coffret

I

Elle entra dans la cuisine, elle dit: «On lui a volé trois cent mille francs», d'une voix haletante. Sa mère s'interrompit de récurer un plat, la regarda froidement.

—On croirait que ça te fait plaisir.

—Mais écoute, cette vieille qui croyait avoir si bien caché...

—On ne dit pas cette vieille en parlant d'une femme respectable.

—Mais enfin quoi, maman, c'est une avare sordide, toi-même tu l'as dit cent fois... Et veux-tu savoir où elle avait caché cet argent? Elle l'avait...

—Pauvre femme! Heureusement qu'elle possède encore un peu de terrain, elle pourra le vendre, elle ne sera pas complètement sans ressources.

—Non, mais tu ne devinerais jamais où elle l'avait caché, je te le donne en mille...

magot m. (fam.) trésor
fallait-il qu'elle soit idiote cette femme! —Comme elle est bête!
signalement m. description
jeunes types m. pl. (fam.) jeunes gens
Vespa marque de motocyclette
lunettes f. pl. verres qui permettent de mieux voir; verres qui protègent les yeux du soleil
blouson m. vêtement masculin qui s'arrête à la ceinture
assommer frapper à la tête avec violence
être du pays vivre dans cette région
bicoque f. maison très pauvre
économie f. argent qu'on a mis de côté
aubaine f. coup de bonne chance, profit inespéré
sorcière f. femme qu'on croit en relation avec le diable
amasser réunir, entasser plusieurs choses ensemble
battre des paupières fermer et ouvrir les yeux rapidement
acéré aigu, perçant
se remettre à recommencer à
je ne sais trop quoi je ne sais pas exactement ce que c'est
thésauriser amasser, mettre de côté
pour rire qui n'est pas sérieux

1. Où avait-elle caché son argent?
2. Pourquoi ne serait-elle pas sans ressources?
3. Comment étaient venus les deux voleurs?
4. Que portaient-ils?
5. Pourquoi la vieille femme n'avait-elle pas eu le temps de les observer?
6. Où était la maison de la vieille?
7. Sur combien d'argent les voleurs avaient-ils compté?
8. Que pensait la jeune fille de la vieille femme?
9. De quoi avait-elle horreur?
10. Qu'est-ce qu'elle avait dans sa chambre?
11. Comment a-t-elle expliqué à sa mère l'existence de son trésor?

® —Le matelas.

—Comment sais-tu?...

—C'est classique.

—Mais justement, beaucoup trop! Enfin écoute, en plein xxe siècle, cacher encore son magot dans un matelas, fallait-il qu'elle soit idiote cette femme! 5

—Elle a donné le signalement des voleurs?

—Oui, deux jeunes types qui sont venus en Vespa, elle a vu la Vespa s'arrêter devant chez elle et ces deux types en descendre. Elle a dit qu'ils portaient des lunettes noires, 10 des blousons de cuir et des blue jeans, mais naturellement elle n'a pas eu le temps de les observer beaucoup puisqu'ils l'ont assommée presque tout de suite.

—Ils doivent être du pays.

—Sûrement. Ils savaient peut-être qu'elle avait un magot. 15

—Ou bien le hasard. Une femme âgée devant une bicoque isolée en pleine campagne. Ils ont pensé qu'elle aurait des économies. Ils ne devaient compter que sur quelques billets de mille.

—Et ils en trouvent trois cents, c'est une aubaine. 20

—Ne ris pas.

—Je ne ris pas.

—Presque. On jurerait que cette histoire te réjouit.

—Et après? Je trouve que c'est très bien fait pour cette vieille sorcière. J'ai horreur de l'avarice, dit-elle avec in- 25 tensité. J'ai horreur des gens qui amassent, qui...

Elle n'acheva pas la phrase, haleta un peu. Elle battit des paupières et détourna la tête. Sa mère lui jeta un regard acéré, puis se remit à récurer le plat et dit:

—Tu as pourtant dans ta chambre un coffret fermé à 30 clef où tu gardes je ne sais trop quoi, de l'argent, je suppose.

—Ce n'est pas la même chose, c'est un trésor.

—Oui, eh bien, cela s'appelle thésauriser.

—Mais non, un trésor pour rire, comme dans un livre

trucs dépareillés divers objets de peu de valeur. Ex. Les garçons ont souvent des trucs dépareillés dans les poches.
changer de figure changer d'expression
*fracturer** casser
tu étais en veine de confidences tu prenais plaisir à raconter des secrets
quelque part ici ou là, dans un endroit
embarrassant gênant, difficile
*cardigan** m. chandail qui se ferme au milieu
qui te faisait envie que tu désirais
te faire offrir par ton père te faire donner par ton père
désintéressé qui ne pense pas à gagner de l'argent
mêler joindre
à l'insu de sans qu'on le sache

1. A quelle occasion l'oncle Henri lui avait-il donné dix mille francs?
2. Comment la mère savait-elle que cet argent était dans le coffret?
3. Comment la jeune fille aurait-elle pu dépenser cet argent?
4. Pourquoi ne s'était-elle pas acheté le cardigan?
5. Où la jeune fille voulait-elle retourner?
6. Pourquoi sa mère n'approuvait-elle pas cette curiosité?
7. Qu'est-ce que la jeune fille a fait après le repas de midi?

que j'ai lu, où des enfants conservent des trucs dépareillés, des choses qui n'ont qu'une valeur... une valeur...

—Sentimentale?

—Oui, c'est ça.

—Mais tu as bien de l'argent dans ta boîte? Il me semble me souvenir que tu y as mis les dix mille francs que l'oncle Henri t'avait donnés pour ton anniversaire.

La jeune fille changea de figure.

—Comment le sais-tu?

—Oh! Rassure-toi, je ne suis pas allée vérifier. Du reste, il m'aurait fallu fracturer la serrure. Mais rappelle-toi, c'est toi-même qui me l'as dit, un jour où, exceptionnellement, tu étais en veine de confidences. Rappelle-toi.

—J'ai mis ces billets dans le coffret parce qu'il fallait bien les mettre quelque part.

—Tu aurais pu aussi bien les dépenser.

—A quoi?

—Mon Dieu, des disques, des livres, est-ce si embarrassant? Ou ce cardigan qui te faisait envie et que tu as réussi à te faire offrir par ton père.

—Puisqu'il me l'a offert, j'aurais été bien bête de me le payer moi-même.

—Non, pas bête, mais disons plus... désintéressée.

La jeune fille se raidit.

—Je ne te reproche rien, dit la mère vivement. Tu es économe, c'est très bien... Où vas-tu?

—Je retourne là-bas.

—Reste ici. Je suis sûre que tous les gamins du village sont massés devant la porte de cette pauvre femme. A quinze ans, tu as passé l'âge de te mêler à eux. Et puis je n'approuve pas cette curiosité. C'est malsain.

Après le repas de midi, toutefois, la jeune fille réussit à se glisser hors de chez elle à l'insu de sa mère. Elle courut le long de la rue principale.

bourg m. gros village
entrouverte un peu ouverte
figures de circonstance visages aux expressions convenables, dont l'expression est en harmonie avec la situation
apitoyé plein de compassion
acuité f. qualité de ce qui est aigu, pointu
fureteur qui cherche partout
pénombre f. demi-jour
marmonner dire à voix basse et indistinctement
apaisement m. sentiment de paix, de calme
songeur qui fait des songes, qui rêve
pli m. ride, ligne qui se forme sur le front d'une personne préoccupée
ménage m. travaux domestiques
accabler faire succomber, écraser
se soucier de se donner la peine de, essayer de
carrelé pavé de carreaux (petit carré de terre cuite ou de pierre)
disjoint détaché
*carpette** f. tapis non fixé au sol
sommaire court, abrégé
survivant celui qui demeure en vie après les autres de son époque
naufragé ruiné
murer enfermer derrière des murs
mutisme m. était de celui qui est muet, qui ne veut ou ne peut pas exprimer sa pensée
culotté qui porte une culotte (vêtement masculin qui va de la ceinture aux genoux)

1. Par quoi la maison de la vieille était-elle séparée du bourg?
2. Qui était devant la porte?
3. Comment étaient leurs figures?
4. Où était étendue la vieille femme?
5. Que faisait la voisine à côté d'elle?
6. Comment était la jeune fille en retournant chez elle?
7. Sous quel prétexte est-elle allée chez la vieille femme?
8. Quelle apparence de justification avaient ces visites?
9. Quelle était la véritable raison pour laquelle la jeune fille allait chez la vieille?
10. Quel reproche a-t-elle fait à la vieille femme au sujet de l'argent?
11. Comment la vieille femme aurait-elle dû cacher l'argent?
12. En quelle langue la vieille femme s'exprimait-elle en général?
13. De quelle couleur étaient ses vêtements?

Le Coffret

La maison était à l'écart, séparée du bourg par un champ et un petit bois. Devant la porte entrouverte, un groupe chuchotant de femmes. Elles avaient des figures de circonstance, graves et apitoyées, mais les yeux gardaient une acuité fureteuse. La jeune fille s'approcha de la porte, passa la tête par l'entrebâillement. Elle distingua dans la pénombre de la pièce un lit où la vieille femme était étendue. Une voisine, assise sur une chaise à côté d'elle, lui tenait la main, se penchait, marmonnait des paroles de sympathie et d'apaisement.

La jeune fille retourna chez elle, songeuse, les lèvres serrées, un pli vertical entre les sourcils.

Les jours suivants, elle alla plusieurs fois chez la vieille femme, sous prétexte de l'aider dans son ménage. Ces visites avaient une apparence de justification: il était normal que la fille de l'instituteur voulût secourir une personne âgée, qu'une épreuve cruelle venait d'accabler. Mais la jeune fille ne se souciait guère de justifier, à ses propres yeux ou à ceux des autres, la curiosité qui l'attirait vers cette pièce nue, au sol carrelé, où deux voyous en blue jeans avaient assommé une vieille femme sans défense.

Elle interrogeait la victime.

—Pourquoi avez-vous caché l'argent dans le matelas? Il fallait le mettre ici, par exemple.

Elle soulevait un carreau disjoint.

—Voyez, il y avait juste la place. Une carpette par-dessus et la table sur la carpette, jamais ils n'auraient pensé...

La vieille femme secouait la tête, levait la main—avait-elle seulement compris? Elle s'exprimait presque toujours en dialecte local, son français devait être sommaire. C'était une personne d'un autre temps, la survivante d'une province naufragée. Toujours vêtue de noir, murée dans le mutisme des solitaires. Autrefois, avant la guerre, avant la naissance de cette petite fille culottée comme un garçon, qui venait la

tenir exploiter, diriger
minuscule très petit
bocal (pl. *bocaux*) m. vase de verre à grande bouche
acidulé légèrement acide
réglisse f. pâte noire faite de sucre et d'un extrait de plante et qui sert à composer des boissons refraîchissantes
tinter sonner
grignoter manger en rongeant. Ex. La souris grignote le fromage.; dépenser lentement.
éperdu plein d'une vive émotion
curé m. prêtre qui dirige une paroisse
si elle en possédait Il fallait échanger à la banque tous les gros billets de 5000 francs après la deuxième guerre mondiale.
campagnarde f. femme qui habite la campagne
rutilant très brillant
coopérative f. société d'achat ou de vente en commun
fleurir orner de fleurs
tombe f. lieu où est enterré un mort
Toussaint fête religieuse célébrée le 1er novembre. En France, on met des fleurs sur les tombes des membres de la famille la veille de la Toussaint.
garçon matraqueur m. garçon qui frappe avec une matraque (sorte de bâton)
se nourrir manger
tapir se cacher
liasse f. paquet de papiers liés ensemble
enfouir cacher, mettre en un lieu secret

1. Quel magasin avait-elle tenu autrefois?
2. Comment était ce magasin?
3. Qu'est que la vieille femme avait fait des économies quand elle s'est retirée?
4. Pourquoi le curé était-il venu chez elle un jour?
5. Où le curé devait-il l'accompagner?
6. Comment y sont-ils allés?
7. Où la vieille femme avait-elle mis les billets de banque?
8. Pourquoi a-t-elle demandé au curé de l'attendre devant la banque?
9. Par quoi l'épicerie avait-elle été remplacée?
10. Où étaient les parents et les amis de la vieille femme?
11. Pourquoi le monde moderne lui semblait-il terrible?
12. De quoi se nourrissait-elle?

voir presque tous les jours, elle avait tenu l'épicerie du village, une épicerie minuscule, sombre, qui sentait vraiment les épices, avec un comptoir en chêne, des bocaux de bonbons acidulés et de réglisse, et, à la porte, une clochette qui tintait à l'entrée d'un client. Juste avant la guerre, elle 5 s'était retirée, avec des économies qui, alors, représentaient une petite fortune; et cette fortune, elle n'avait pas voulu la confier à une banque. Dans le siècle et la province qu'elle transportait autour d'elle comme la seule atmosphère respirable, on ne confie pas ses économies à une banque, à une 10 entreprise anonyme, douteuse: on les garde chez soi, dans une cachette connue de soi seul.

Elle les avait gardées, les grignotant à peine d'une année à l'autre, éperdue quand le curé lui avait dit qu'il lui faudrait remettre les billets de cinq mille francs si elle en possédait. 15 Elle le supplia de l'accompagner à la ville voisine, ils prirent l'autobus, et elle tenait à deux mains crispées contre sa poitrine une petite mallette en carton; mais, à la banque, elle pria le curé de l'attendre dehors, comme si elle allait changer, non des billets, mais sa chemise. Il ne fallait pas 20 qu'il sût combien d'argent elle apportait dans sa mallette. C'était une campagnarde d'un autre siècle, elle survivait à sa petite épicerie rurale, remplacée aujourd'hui par une rutilante coopérative, elle survivait à ses parents et à ses amis dont personne ne fleurissait les tombes, la veille des 25 Toussaint. Elle était seule, dans le monde terrible des Vespas, des radios, des garçons matraqueurs à cheveux de filles et des filles vêtues en garçons. Elle ne parlait plus guère à personne, n'avait personne à aimer, pas même un chat. Petite ombre noire, à peine vivante, qui se nourrissait 30 de pain et de fromage, tapie dans l'unique pièce de sa bicoque; mais elle avait eu ces billets, ces liasses de billets enveloppés dans du papier journal, enfouis au fond de son matelas... Quand les garçons en blue jeans l'avaient menacée,

toile f. tissu, étoffe
mètre carré m. mesure de surface: mètre carré — 10.763 square feet
geindre gémir, se plaindre
entrefilet m. petit article de journal
halètement m. action de respirer rapidement et avec bruit
repérer découvrir
*mixer** m. appareil servant à mélanger les aliments
attirail m. quantité de choses

1. Où était-elle allée se placer quand les garçons l'avaient menacée?
2. Comment la jeune fille était-elle habillée?
3. Qu'a-t-elle demandé à la vieille au sujet du champ?
4. A qui ressemblait-elle en posant la question?
5. Comment est-ce que la vieille femme a répondu à la question?
6. Qu'est-ce que le journal local a révélé un matin?
7. A qui la jeune fille a-t-elle lu l'article?
8. Comment les voleurs avaient-ils pu être découverts?
9. Qu'est-ce que les voleurs avaient acheté?
10. Où se trouvaient ces objets?

en lui demandant de leur donner son argent, elle était allée se placer devant son lit, les bras un peu écartés, instinctivement, pour défendre son seul bien...

—Mais vous avez encore un champ, disait la voix dure de la jeune fille culottée de toile bleue (comme les agresseurs). 5
Ma mère m'a dit que vous pourriez le vendre près d'un million, elle a calculé au prix du mètre carré. Quelle est exactement la surface de votre champ?

La jeune fille se penchait au-dessus de la vieille femme assise. Elle avait l'air d'un inquisiteur enfantin. La figure 10
tendue, les yeux brillants et sans douceur, un pli vertical entre les sourcils.

—Quelle est la surface du champ?

Mais justement, c'était là une question à laquelle on se gardait de répondre, quand on était fidèle aux anciens codes. 15
La vieille femme porta la main à son front, se mit à geindre.

—Je ne sais plus... Ma pauvre tête.

II

Un matin, le journal local révéla que les deux voleurs avaient été découverts, arrêtés, et qu'ils avaient avoué.

Dans la cuisine où sa mère préparait le déjeuner, la jeune 20
fille lut l'entrefilet à voix haute, avec le léger halètement qui, chez elle, indiquait une excitation intérieure.

Les jeunes voleurs avaient été repérés grâce au signalement donné par la victime et surtout grâce aux achats massifs qu'ils avaient effectués avec l'argent dérobé. En 25
effet, ils avaient acquis pour plus de deux cent cinquante mille francs d'objets divers: un poste de radio, un appareil photographique, un frigidaire, un mixer... La police avait découvert cet attirail dans le logement occupé par l'un des deux, qui devait se marier. En somme, ces jeunes gens (de 30

s'installer en ménage vivre ensemble (en parlant d'un homme et d'une femme)
bourgeoisement confortablement
ironiser dire des choses ironiques
bizarrerie f. chose étrange, anormale, curieuse
récupérer rentrer en possession de
abruti m. personne stupide
vous vous rendez compte pouvez-vous vous imaginer?
en sûreté dans un endroit sûr
être fauché (fam.) être sans argent
tu ne te gênerais pas pour tu n'hésiterais pas à
chamaillerie f. petite querelle
taquiner irriter, impatienter. Ex. Les garçons aiment taquiner leurs sœurs.

1. Quelle avait été la motivation des jeunes gens?
2. Qu'est-ce que la jeune fille est allée dire à la vieille femme?
3. Quel mot lui a-t-elle expliqué?
4. Quel conseil a-t-elle donné à la vieille femme?
5. Qu'est-ce que le frère ne comprenait pas au sujet du coffret de la jeune fille?
6. De quoi la jeune fille avait-elle peur?
7. Quel reproche la mère a-t-elle fait au garçon quand sa sœur est partie?
8. De quoi le garçon voulait-il guérir sa sœur?

«familles laborieuses et honorables», précisait-on) avaient failli assommer une vieille femme pour que l'un d'eux pût s'installer en ménage un peu bourgeoisement. L'auteur de l'article ironisait sur la bizarrerie et le conformisme de cette motivation.

La jeune fille jeta le journal, sortit en courant.

Une heure plus tard, à table, elle racontait son entrevue avec la vieille femme.

—Je lui ai dit: «On va vous apporter tout ça, vous pourrez le revendre et récupérer une partie de votre argent.» Elle n'avait pas l'air de comprendre, cette abrutie. Il a fallu que je lui explique ce que c'était qu'un mixer, vous vous rendez compte! Je lui ai dit: «Vous allez retrouver presque tout votre argent et il faudra le cacher un peu mieux, cette fois.»

—Toi, tu saurais le cacher, je suis tranquille, dit son frère.

—Oui, je saurais, dit-elle en redressant la tête. Quand on garde de l'argent chez soi, on le met en sûreté.

—C'est ce que tu fais.

—Oh! ce que j'ai, il ne vaut pas la peine d'en parler.

Elle respira un peu plus vite.

—Alors, dit le frère, pourquoi l'as-tu enfermé dans un coffret? Et pourquoi gardes-tu la clef sur toi?

—Parce que je te connais. Quand tu serais fauché, tu ne te gênerais pas pour...

—Mais non, mais non, dit-il avec suavité. Quand je serais fauché, je te demanderais de me prêter un peu de ton argent comme on fait entre frère et sœur. Tu me le prêterais de bon cœur, j'en suis sûr.

—Allons, dit la mère d'un ton apaisant, pas de chamailleries.

La jeune fille se leva, quitta la pièce.

—Tu ne devrais pas la taquiner ainsi, dit la mère. Tu sais comme elle est sensible à ce genre de reproches.

—Justement. Il faut la guérir de ce... défaut.

procès-verbal m. document légal
méfiant qui montre un manque de confiance
nickeler couvrir d'une couche de nickel
flambant neuf tout à fait neuf
répartir distribuer
geignard qui gémit souvent, qui se plaint
arriéré qui est en retard
sauvage non civilisé
*robot** m. automate, machine qui peut faire le travail d'un homme

1. Pourquoi le regard de la mère est-il devenu soucieux?
2. Pourquoi le frère et la sœur sont-ils partis le lendemain?
3. De quoi la jeune fille s'est-elle informée à son retour?
4. Pourquoi avait-on fait appeler la mère de la jeune fille?
5. Qu'est-ce qu'elle a expliqué à la vieille femme?
6. Que faisait la vieille femme au milieu des objets nickelés?
7. Où pourrait-elle revendre ces objets?

—Quel défaut?

—Tu sais bien. C'est de plus en plus marqué, chez elle. Ça grossit tous les jours, comme une tumeur.

—Oui, dit la mère dans un souffle; et son regard devint fixe et soucieux. 5

Le lendemain, le frère et la sœur partirent pour la ville voisine où ils devaient passer quinze jours de vacances chez des cousins. A leur retour, l'une des premières questions que la jeune fille posa à sa mère fut pour s'informer si on avait apporté à la vieille femme les objets achetés par ses voleurs. 10

–Oui. Figure-toi, elle m'a fait appeler quand les gendarmes sont allés chez elle, parce qu'il y avait un procès-verbal de restitution à signer, et tu la connais: méfiante comme elle est, pauvre créature, elle ne voulait rien signer avant de savoir à quoi cette signature l'engageait. Elle avait 15 besoin de l'institutrice pour le lui expliquer. Je dois être l'une des rares personnes en qui elle ait un peu confiance. Quand je lui ai affirmé qu'elle n'aurait rien à payer, que c'était une simple formalité, elle a consenti à signer... Je t'assure que c'était assez curieux, ces objets nickelés, flambant 20 neufs, répartis çà et là dans cette misérable pièce nue, cette chambre-cuisine de pauvresse; et il fallait la voir, elle, éperdue, geignarde, errant du frigidaire au poste de radio, sans la moindre idée de ce qu'étaient ces instruments ni à quoi ils servaient. Une arriérée, une sauvage, transportée 25 tout à coup au milieu des robots.

—Elle les a revendus?

—Je suppose que oui. Les gendarmes et moi, nous lui avons dit qu'elle pourrait les revendre aux commerçants mêmes chez qui ils avaient été achetés, ils les reprendraient 30 sans doute au même prix. Je lui ai proposé de m'en occuper à sa place, mais bien entendu elle a refusé: sa confiance en moi ne va plus jusque-là... Pauvre femme. J'ai eu l'impression qu'elle était, en quelque sorte, comment dire? fascinée

quasi-dénuement m.   manque presque total de choses nécessaires
perçut (passé simp. de *percevoir*)   sentir
sournois   qui garde caché
s'éclairer   devenir clair
rajeunir   devenir jeune
te revoilà   tu es revenue

1. Pourquoi était-elle fascinée?
2. Comment avait-elle vécu jusqu'à ce moment?
3. Quel changement la jeune fille a-t-elle vu en revoyant la vieille femme?

par ces objets. Fascinée, c'est le mot. Elle n'en avait jamais tant vu, tu comprends. Oui, oui, quand je l'ai laissée, il me semblait qu'elle les regardait avec... émerveillement.

—Qu'est-ce que tu racontes, de l'émerveillement?

—Eh oui! songe qu'elle n'a jamais connu le moindre confort, pour ne pas parler de luxe; qu'elle a toujours vécu dans un quasi-dénuement; et voilà tout d'un coup ces merveilles qui lui tombent du ciel...

Dès le seuil, la jeune fille perçut le changement. Il était manifeste. Cette vieille figure qu'elle n'avait connue que morose, butée, sournoise, s'était éclairée. Même, il semblait qu'elle eût rajeuni. Les yeux souriaient.

—Ah! te revoilà, dit la vieille femme. Tu reviens de la ville? Entre.

Un sourire, un geste d'accueil.

—Regarde ce qu'ils m'ont apporté, les gendarmes.

luxueux plein de luxe
insolite qui n'est pas habituel, normal
chevroter parler d'une voix tremblante
sourd qui ne se manifeste pas ouvertement
béant largement ouvert
émail m. vernis qu'on met sur les lavabos, les baignoires, les frigidaires, etc.
saucisse f. enveloppe remplie de viande hachée
ronronner faire un bruit continu comme un chat qu'on caresse
prise f. endroit où on branche un fil électrique
effectuer faire

1. Comment était la voix de la vieille?
2. Qui lui avait appris à faire marcher la radio?
3. Où avait-elle mis la saucisse?
4. Qu'est-ce que l'électricien avait mis partout?
5. Pour quelle raison la vieille femme aimait-elle la radio?
6. Pourquoi ne voulait-elle pas garder l'appareil photographique?
7. Pourquoi l'a-t-elle donné à la jeune fille?

De la main, elle désigna les objets disposés autour de la pièce, brillants dans la pénombre, neufs et luxueux, insolites.

—Regarde, répétait-elle, et sa voix chevrotait de fierté, d'une fierté sourde, contenue. Si c'est beau, tout ça! Et ça marche.

Elle tourna les boutons de la radio.

—L'électricien m'a appris comment on la fait marcher.

Elle ouvrit le frigidaire. Dans la cavité béante, émail et nickel, une assiette en faïence, à fleurs, avec une saucisse dedans.

—Ça conserve la viande, dit-elle en hochant la tête d'un air grave.

Elle toucha le mixer, il se mit à ronronner.

—L'électricien a mis des prises partout, dit-elle. Des prises.

Elle redit le mot français, qu'elle ne connaissait pas depuis longtemps.

De la radio s'élevait une musique très douce.

—C'est joli, dit la vieille femme et elle pencha la tête vers cette source, en souriant. Ça me tient compagnie, ajouta-t-elle.

Puis, après une pause de quelques secondes, comme pour tout résumer d'un mot:

—Tu vois, dit-elle à la jeune fille, tu vois...

—Oui, dit la jeune fille, je vois...

Elle était interdite.

La vieille femme ouvrit un tiroir, y prit un objet, c'était l'appareil photographique. Elle le tint entre ses mains, précieusement, et s'avança vers la jeune fille.

—Ceci, dit-elle, ça ne me sert pas, ce n'est pas quelque chose pour une vieille comme moi. Tu es venue m'aider quand j'étais malade, tu es une bonne petite. Je te le donne. Prends.

Elle tendit l'objet, à deux mains, avec une lenteur solennelle, comme si elle effectuait un rite. Elle avait l'air d'éprou-

philtre m. boisson qui cause la passion
s'apprêter se préparer
vieillot qui a l'air déjà vieux

1. Quelle émotion a-t-elle éprouvée en tendant l'objet?
2. Pourquoi la jeune fille s'est-elle arrêtée chez l'électricien en rentrant?
3. Que lui a demandé sa mère quand elle est rentrée?
4. Comment la jeune fille est-elle montée à sa chambre?
5. Qu'est-ce qu'elle a ouvert?
6. Comment a-t-elle compté les billets?
7. Qu'est-ce qu'elle a placé dans le coffret?
8. Qu'a-t-elle fait de la clef après avoir refermé le coffret?
9. Comment était sa figure dans la glace?

® ver une émotion inconnue d'elle jusqu'alors, une joie qui à la fois lui faisait peur, comme une audace ou une bravade, et l'enivrait, comme un philtre.

—Prends, prends donc, répéta-t-elle.

Sur le chemin du retour, la jeune fille fit une pause chez l'électricien. Quand elle le quitta, elle n'avait plus l'appareil photographique. 5

Dans le vestibule de la maison, elle s'apprêtait à monter directement à sa chambre. De la cuisine, sa mère appela.

—Eh bien? Tu l'as vue? 10

—Oui.

—Alors? Elle a revendu les choses?

—Non, aucune.

—Elle a tout gardé?

—Oui. 15

—C'est extraordinaire! Et elle a l'air comment? Résignée? Consolée? Heureuse?

—Très heureuse, dit la jeune fille brièvement.

—Extraordinaire! Mais après tout, on comprend que cette pauvre femme... 20

La jeune fille n'attendit pas la suite. Sur la pointe des pieds, elle monta à sa chambre, marcha vers la cheminée. Il y avait le coffret, devant la glace. Elle prit la clef dans sa poche, ouvrit le coffret. Elle compta les billets qui s'y trouvaient déjà. Elle haletait un peu. Elle plaça dans le coffret, 25 soigneusement, les billets que lui avait donnés l'électricien en paiement de l'appareil photographique. Elle referma le coffret, vérifia s'il était bien fermé, remit la clef dans sa poche.

Un pli entre les sourcils, elle regarda longuement, dans 30 la glace, sa jolie figure vieillotte.

Avec la gracieuse autorisation de Jean-Louis Curtis

Exercices

(Première partie)

Répondez sur le modèle indiqué:

I. On a volé 300.000 francs.

® *Réponse:* Elle a dit qu'on avait volé 300.000 francs.

1. Ça ne lui fait pas plaisir.
2. Il faut que la vieille soit idiote.
3. Les deux types doivent être du pays.
4. Il y a de l'argent dans la boîte.
5. Personne ne le sait.
6. La maison est à l'écart.
7. Elle veut aider la vieille femme.
8. Elle vient la voir pour l'aider.

II. Veux-tu savoir où?

® *Réponse:* Elle lui a demandé si elle voulait savoir où.

1. Comment le sais-tu?
2. Où est le magot?
3. Où vas-tu?
4. Pourquoi avez-vous caché l'argent?
5. Qui est venu?
6. A quelle heure avez-vous vu les deux types?
7. Que puis-je faire pour vous?
8. Que faut-il faire?
9. N'avez-vous pas un champ à vendre?
10. Quelle est la surface du champ?

III. Tu aimes l'avarice?

® *Réponse:* J'ai horreur de l'avarice.

1. Tu aimes les gens qui amassent?
2. Tu aimes les garçons à cheveux de filles?
3. Tu aimes les filles vêtues en garçons?
4. Tu aimes la province?

5. Tu aimes les bonbons acidulés?
6. Tu aimes les blousons de cuir?
7. Tu aimes le cuir?
8. Tu aimes l'argent?
9. Tu aimes l'autobus?
10. Tu aimes le monde des Vespas?

IV. Cette femme était idiote.
® *Réponse:* Fallait-il qu'elle soit idiote, cette femme.

1. Cette femme était avare.
2. Cette femme était sordide.
3. Cette femme était sorcière.
4. Cette femme était sentimentale.
5. Cette femme était économe.
6. Cette femme était sans défense.

V. Tu l'as dit toi-même.
® *Réponse:* C'est toi-même qui me l'as dit.

1. Elle me l'a dit elle-même.
2. Nous le lui avons dit nous-mêmes.
3. Je vous l'ai dit moi-même.
4. Il me l'a dit lui-même.
5. Vous me l'avez dit vous-même.
6. Ils me l'ont dit eux-mêmes.

VI. J'aurais été obligé de fracturer la serrure.
® *Réponse:* Il m'aurait fallu fracturer la serrure.

1. Tu aurais été obligé de fracturer la serrure.
2. Vous auriez été obligé de fracturer la serrure.
3. Ils auraient été obligés de fracturer la serrure.
4. Il aurait été obligé de fracturer la serrure.
5. Elles auraient été obligées de fracturer la serrure.
6. Elle aurait été obligée de fracturer la serrure.
7. Nous aurions été obligés de fracturer la serrure.

VII. La fille de l'instituteur veut secourir une personne ® âgée; c'est normal.

Réponse: Il est normal que la fille de l'instituteur veuille secourir une personne âgée.

1. La fille veut aider la vieille; c'est bon.
2. Les gens sont si curieux; c'est malsain.
3. La vieille n'a pas bien caché son magot; c'est bête.
4. La vieille ne comprend pas bien le français; c'est curieux.
5. Les deux types se sont jetés sur la vieille; c'est terrible.
6. La fille est économe; c'est heureux.
7. La mère fait des reproches; c'est possible.
8. Les garçons vont chez la vieille; c'est regrettable.

VIII. Complétez les phrases suivantes en vous servant des indications données dans le récit:

1. La vieille femme ne sera pas complètement pauvre parce que...
2. Elle a donné le signalement des voleurs. Elle a dit qu'ils...
3. Beaucoup d'enfants ont des trésors pour..., composés d'objets...
4. La jeune fille ne s'est pas acheté le cardigan parce que...
5. La jeune fille est allée dans la bicoque sous prétexte...
6. La vieille femme a demandé au curé de l'attendre dehors parce que...

IX. Quelles sont les phrases ou les parties de phrases qui montrent que

1. l'histoire se passe dans une ville de province.
2. la vie en province a beaucoup changé.
3. les traits principaux du caractère de la vieille femme sont l'obstination, l'avarice et la méfiance.

4. la jeune fille n'est pas sympathique aux yeux du lecteur.
5. la mère connaît très bien sa fille.

(Deuxième partie)

Répondez sur le modèle indiqué:

I. Ça grossit?
® *Réponse:* Ça grossit de plus en plus.
1. La jeune fille court vite?
2. La jeune fille respire vite?
3. Son frère la taquine?
4. Son défaut est marqué?
5. La mère devient soucieuse?
6. La vieille était fascinée par les objets?
7. La joie l'enivrait?
8. Le visage de la fille devenait vieillot?

II. Ne la taquine pas ainsi.
® *Réponse:* Tu ne devrais pas la taquiner ainsi.
1. Ne remets pas la clef.
2. Ne cours pas si vite.
3. Ne lui tiens pas compagnie.
4. Ne souris pas tout le temps.
5. Ne te mets pas au lit.
6. Ne me redis pas ce mot.
7. Ne fais pas ce geste.
8. Ne pars pas sans moi.
9. N'aie pas confiance en elle.
10. Ne revends pas ces objets.
11. Ne lis pas cet article.
12. Ne sors pas tout de suite.

III. L'électricien a donné les billets à la jeune fille.
La jeune fille a mis les billets dans le coffret.
Réponse: La jeune fille a mis dans le coffret les billets que l'électricien lui avait donnés.

1. Les voleurs ont effectué des achats.
Les voleurs ont été repérés grâce aux achats.
2. Les voleurs ont acquis une radio.
La police a retrouvé la radio.
3. La police a découvert les voleurs.
Le journal a révélé le nom des voleurs.
4. Les voleurs ont assommé la vieille femme.
Les gendarmes sont allés chez la vieille femme.
5. Les voleurs ont acheté des objets.
La vieille femme a récupéré les objets.
6. L'électricien a mis des prises partout.
La vieille femme a montré les prises.
7. La jeune fille a pris la clef.
La jeune fille a ouvert le coffret avec la clef.
8. Elle a compté les billets.
Elle a placé les billets dans le coffret.

IV. Elle a penché la tête. Elle a souri.
® *Réponse:* Elle a penché la tête en souriant.

1. Elle est sortie. Elle a couru.
2. Elle a pris la clef. Elle est sortie.
3. Elle s'est regardée dans la glace. Elle a remis la clef dans la poche.
4. La vieille femme lui a dit «prends». Elle lui a tendu l'appareil.
5. Elle s'est avancée. Elle tenait l'objet entre ses mains.
6. Elle était heureuse. Elle a pris l'objet.
7. Elle a ouvert la porte. Elle a fait un geste d'accueil.
8. Elle a parlé français. Elle a fait un geste d'accueil.

V. La vieille femme avait-elle envie de signer?

® *Réponse:* La vieille femme n'avait pas la moindre envie de signer.

1. Avait-elle une idée du prix des objets?
2. Avait-elle le désir de revendre ces objets?
3. A-t-elle revendu les objets?
4. La jeune fille éprouvait-elle de la joie?
5. La jeune fille faisait-elle un geste?
6. Y avait-il un sourire sur son visage?

VI. Elle avait l'air d'éprouver une émotion inconnue.

® *Réponse:* C'était comme si elle éprouvait une émotion inconnue.

1. Elle avait l'air de ne pas comprendre.
2. Elle avait l'air d'être très heureuse.
3. Elle avait l'air d'attendre cette joie depuis longtemps.
4. Elle avait l'air d'avoir confiance.
5. Elle avait l'air de connaître ce mot français.
6. Elle avait l'air d'apprendre à être heureuse.
7. Elle avait l'air de rajeunir.
8. Elle avait l'air de revenir à la vie.

VII. Complétez les phrases suivantes en vous servant des indications données dans le récit:

1. Les voleurs avaient été découverts grâce...
2. Comme la vieille ne savait pas ce que c'était qu'un mixer, il a fallu que la jeune fille...
3. Si le frère de la jeune fille était fauché, il lui demanderait...
4. Si le garçon taquine sa sœur, c'est parce qu'il...
5. La vieille a consenti à signer le procès-verbal parce que l'institutrice...
6. La vieille a ouvert la radio car l'électricien...
7. La vieille ne voulait pas garder l'appareil photographique parce que...

VIII. Quelles phrases ou parties de phrases montrent que
1. la vieille femme a découvert le confort moderne.
2. la vieille femme n'est plus avare.
3. la jeune fille n'est pas guérie de son défaut.

Vocabulaire

From this vocabulary the following types of words have been omitted: articles and their contractions; demonstrative and possessive adjectives; demonstrative, interrogative, personal, possessive, reflexive, and relative pronouns; numbers; most proper names; and many recognizable cognates.

To facilitate the use of the all-French vocabulary, a small list of key-words appears after the list of abbreviations, the "définissants." A thorough understanding of these basic words will clarify a great many definitions.

The following abbreviations have been used:

adj.	adjectif	*nég.*	négatif
adv.	adverbe	*p. simp.*	passé simple
cond.	conditionnel	*part.*	participe
conj.	conjonction	*pl.*	pluriel
Ex.	exemple	*pop.*	populaire
f.	féminin	*prép.*	préposition
fam.	familier	*prés.*	présent
fut.	futur	*pro.*	pronom
impér.	impératif	*sing.*	singulier
impf.	imparfait	*subj.*	subjonctif
m.	masculin	*v.*	verbe

* mot dont la forme et le sens sont identiques ou apparentés au mot anglais

† le contraire

\# faux ami, mot dont la forme suggère un mot anglais mais dont le sens n'est pas le même

Définissants

bruit *m.* son, tout ce qu'on entend, †silence. Ex. La nuit les bruits de la ville sont plus faibles.

chose *f.* objet, ce qui existe

corps *m.* partie matérielle. Ex. Le corps de l'homme est chaud.

endroit *m.* lieu, place déterminée. Ex. A quel endroit êtes-vous quand vous mangez? —A table.

état *m.* ce qu'on est. Ex. Cette auto est dans un mauvais état: le moteur est cassé et elle a seulement trois roues.

étoffe *f.* tissu. Ex. Les vêtements sont faits d'étoffe de coton, de satin, de nylon, de laine, etc.

marquer* montrer, servir de signe. Ex. Le verbe marque l'action dans une phrase.

matière *f.* chose solide, substance

membre *m.* partie du corps. Ex. Les deux bras et les deux jambes sont les quatre membres du corps de l'homme.

moyen *m.* façon, méthode. Ex. Par quel moyen de transport allez-vous en France? Par avion ou par bateau?

munir ajouter à une chose des parties utiles. Ex. Cette bicyclette est munie d'une lampe.

objet *m.* chose. Ex. Le livre, la lampe, la chaise, et la balle sont des objets.

on (sujet indéfini). Ex. On parle français en France.

organe* *m.* partie du corps qui a une fonction. Ex. Le cœur est un organe.

partie* *f.* division. Ex. Les quatre saisons sont les quatre parties de l'année.
quelque chose *m.* une chose. Ex. Quelque chose est tombé. Qu'est-ce que c'est?
quelqu'un *m.* une personne
récipient* *m.* vase pour un liquide. Ex. Une bouteille est un récipient.
tissu *m.* étoffe. Ex. Le coton, le nylon, le satin et la laine sont des tissus.
vêtement *m.* ce qui couvre le corps. Ex. La chemise est un vêtement.

A

à (marque un endroit). Ex. Il va à Paris.; (indique qu'une action va être faite) Ex. J'ai une lettre à écrire, une auto à vendre.
abandonner laisser
abasourdir stupéfier. Ex. La nouvelle de l'accident l'abasourdit.
abattre bouleverser, étourdir; déprimer
abîmer ruiner, endommager
aboiement *m.* action d'aboyer, cri du chien
abord *m.* **d'—** au commencement, au début. Ex. D'abord nous chantons puis nous travaillons.
aboyer crier (en parlant d'un chien)
abriter donner abri, mettre à l'abri. Ex. Le hangar abrite le tracteur.
abrutir rendre stupide
absent* †présent; qui ne fait pas attention, qui est dans les nuages
absolu* complet, souverain, sans conteste
absorber* manger, prendre; **s'—** s'occuper à
abri *m.* refuge; **être à l'—** être protégé
abuser tromper
académiques, les palmes— décoration que l'État accorde aux savants, aux professeurs, aux artistes, etc.
accabler faire succomber, écraser
accéder arriver, parvenir
accepter* prendre ce qui est offert; consentir
accès *m.* attaque
accommoder, s'— aller bien, admettre; **ne s'accommodant d'aucun excès** ne tolérant aucun excès
accompagner* aller avec
accomplir, s'— se compléter; réaliser son idéal
accomplissement* *m.* fait, réalisation
accord *m.* conformité, convention; **être d'—** être du même avis
accorder donner
accourir venir en courant
accourut (p. simp. de **accourir**)
accoutumer*, s'— s'habituer
accrocher suspendre; **s'—** s'attacher
accroupir, s'— s'asseoir sur les talons
accueil *m.* action de recevoir quelqu'un. Ex. Il a fait un accueil chaleureux à son ancien ami.
accueillir recevoir; rencontrer
accumuler* mettre ensemble
acéré aigu, perçant
achat *m.* ce qu'on a acheté
acheter prendre une chose en payant, †vendre. Ex. Le marchand vend et le client achète.
achever finir; **s'—** finir
acidulé légèrement acide
acquérir gagner, apprendre
acquis (part. passé de **acquérir**)
acquittement *m.* libération d'une personne non-coupable
acquitter* déclarer non-coupable
âcre piquant, irritant
acte* *m.*, **—de naissance** document officiel qui dit où et quand on est nè
actuel# d'aujourd'hui
actuellement# à ce moment
acuité *f.* qualité de ce qui est aigu, pointu
addition *f.* ce qu'on doit payer dans un restaurant
admettre* dire que quelque chose est vrai. Ex. Le criminel admet qu'il a fait un crime.
adresse *f.* habileté; lieu où l'on demeure. Ex. Mon adresse est 52, rue du Centre, Melun.
adresser, s'— à parler à

adroit* Ex. Cette personne est très adroite; elle peut tout faire de ses mains expertes.
aérodrome* *m.* terrain pour les avions
affaire *f.* chose à faire; transaction commerciale; problème, dispute
affamer faire souffrir de faim
affecter faire ostentation de
afficher attacher aux murs
affirmer* dire, assurer
affreux terrible
affronter attaquer de front
affubler habiller, vêtir
âge* *m.* Ex. Son âge? Il a sept ans.; **entre deux âges** ni vieux ni jeune
âgé qui a un certain âge. Ex. Il est âgé de soixante ans; c'est un homme âgé.
agence* *f.* bureau d'une entreprise commerciale
agenouiller, s'— se mettre à genoux. Ex. Nous nous agenouillons quand nous prions le bon Dieu.
agent# *m.* **—de police** homme au service de la police, policier
agir faire quelque chose; **il s'agit de** il est question de
agiter* exciter; **s'—** être en agitation
agonie* *f.* derniers moments où l'on combat la mort
agoniser être à l'agonie, être près de mourir
agréable* qui plaît
agréer accepter, recevoir
aguets *m. pl.* surveillance attentive
ahurissant extraordinaire
aider* assister. Ex. Aidez-moi, je suis tombé dans le lac!
aigu (*f.* **aiguë**) clair, perçant
aiguille *f.* Ex. La petite aiguille d'une montre marque les heures.; rocher pointu, pic
ailleurs pas ici; **d'—** et en plus, de plus
aimable* de nature à plaire
aimablement comme un ami
aimer Ex. Romeo aime Juliette.
aîné le plus âgé
ainsi de cette façon, comme cela
ainsi que aussi bien que
aisance *f.* facilité
aise *f.* Ex. Il est à l'aise dans ce fauteuil confortable.; **à ton—** fais comme tu voudras
aisé fortuné
aisément avec aisance, facilement
ajouter dire en plus
alcoolique* *m.* homme qui boit trop de boissons alcoolisées
alentours *m. pl.* environs
allée* *f.* chemin étroit, passage étroit
Allemagne *f.* pays au nord-est de la France. Ex. Berlin est une ville d'Allemagne.
aller (verbe de mouvement) Ex. Il va à Paris.; se porter. Ex. Comment allez-vous?; **—jusqu'au bout** poursuivre jusqu'à la conclusion; **s'en—** partir sans dire où l'on va, aller loin
allonger, s'— se coucher
allumer faire prendre feu; **s'—** s'éclairer
allumette *f.* petit morceau de bois qui brûle quand on le frotte
allure *f.* manière de marcher; **à toute—** à toute vitesse, aussi vite que possible
alors à ce moment; quand; en ce cas-là. Ex. Il est riche. —Marie-toi avec lui alors.; (expression interrogative) Ex. Qu'en pensez-vous alors?; **et—?** (expression pour indiquer qu'on n'est pas satisfait, qu'on est impatient)
alors que lorsque, quand bien même
amande *f.* fruit ovale protégé par une enveloppe dure.
amas *m.* tas. Ex. Nous faisons des amas de feuilles en automne.
amasser réunir, entasser des choses
ambassade *f.* résidence de l'ambassadeur
âme *f.* partie non matérielle de l'homme. Ex. L'âme est inséparable du corps.
amener venir avec
amer (f. **amère**) du goût du café. Ex. La victoire est douce mais la défaite est amère.
amèrement avec tristesse
ameuter soulever
ami *m.* personne qu'on aime et qui n'est pas membre de la famille
amical* d'ami, inspiré par l'amitié

amitié *f.* état d'être ami, attachement mutuel, affection
amour *m.* sentiment plus fort que l'amitié. Ex. L'amour d'une mère pour ses enfants est puissant.
amoureux *m.* homme qui aime
ampoule *f.* récipient de verre qui renferme le filament d'une lampe électrique
amuser*, s'— avoir du plaisir
an *m.* Ex. 365 jours font un an.
analyser* examiner une chose en regardant ses parties
ancien (*f.* **ancienne**) vieux; qui a existé autrefois. Ex. C'est un ancien soldat; il a fait la deuxième guerre mondiale.
anglais de l'Angleterre. Ex. Londres est une grande ville anglaise.
angoisse* *f.* anxiété, peur
angoisser produire de l'angoisse, causer une grande peur
anguleux qui a des angles
anneau *m.* cercle auquel on attache quelque chose
année *f.* an, 365 jours
anniversaire* *m.* jour qui revient un an après
annoncer* faire savoir
antérieur avant, précédent
antichambre* *f.* pièce à l'entrée de l'appartement
apaisement *m.* sentiment de paix, de calme
apaiser, s'— se calmer
apercevoir commencer à voir; **s'—** remarquer
apeurer effrayer, faire peur
apitoyer, s'— montrer de la pitié, de la compassion
aplatir rendre plat
appareil *m.* petite machine
appartenir être à quelqu'un
appel *m.* action d'appeler, cri
appeler donner un nom; dire le nom; faire venir. Ex. Jean, appelle ton père au téléphone!; **s'—** avoir comme nom. Ex. Il s'appelle Georges Dufour.
appentis *m.* petit bâtiment qui s'appuie à un mur
applaudir* battre des mains pour montrer la satisfaction
appliquer, s'— donner toute son attention à son travail
appointements *m. pl.* salaire fixe
apporter venir avec quelque chose; porter à quelqu'un
apposer mettre
appréhension* *f.* peur
apprendre recevoir par l'esprit. Ex. J'ai appris son numéro de téléphone: c'est DAnton 83-14.
apprêter, s'— se préparer
appris (part. passé de **apprendre**)
apprit (p. simp. de **apprendre**)
approbation* *f.* action d'approuver
approcher*, s'— s'avancer, aller vers un endroit
approuver* juger bon
appuyer mettre une chose contre une autre pour qu'elle ne tombe pas
âpre dur, rude
après †avant; **et—?** et alors?; **d'—** selon, suivant
après-midi *m.* ou *f.* partie du jour entre midi et le soir
arabe *m.* langue parlée par les Arabes
arbre *m.* Ex. Le sycomore est un arbre.
arbuste *m.* petit arbre
ardent* en feu, brûlant
argent *m.* métal; couleur; valeur monétaire. Ex. Un homme riche a beaucoup d'argent.
arme* *f.* Ex. Un revolver, un couteau sont des armes.
armée* *f.* plusieurs régiments de soldats
armure* *f.* ce qui protège contre les armes de l'ennemi
arpenter marcher à grands pas
arracher détacher avec effort; **s'—** se lever brusquement
arranger* aider, faciliter les choses; mettre en ordre
arrestation *f.* action d'arrêter
arrêt *m.* lieu où s'arrête l'autobus, le tramway, le trolley-bus, etc.
arrêter stopper; mettre quelqu'un en prison; **s'—** stopper, ne pas aller plus loin; **s'—pile** s'arrêter abruptement
arriéré *m.* personne qui est en retard

arrière *m.* partie postérieure
arrière-pensée *f.* pensée cachée
arrivée *f.* action d'arriver
arriver* venir à un endroit; **—à** réussir à; se passer. Ex. Un accident est arrivé.; **Il lui arrivait de tomber.** Il tombait quelquefois.
artilleur *m.* soldat de l'artillerie
as *m.* carte à jouer marquée d'une seule figure
asile* *m.* hôpital pour les fous
aspiration *f.* action d'aspirer. Ex. On fait de grandes aspirations avant de plonger dans l'eau.
aspirer attirer avec la bouche
assassinat *m.* meurtre
assassiner* tuer
assentiment *m.* consentement
asseoir, s'— se mettre sur une chaise
assez Ex. Le livre coûte 10 francs. Hélène a 9 francs; elle n'a pas assez de francs.
assiette *f.* objet rond dans lequel on mange la soupe, la viande, etc.
assimiler incorporer
assis (part. passé de **asseoir**)
assistant# *m.* celui qui est présent
assister# être présent. Ex. Cet étudiant assiste à la classe tous les jours; il n'est jamais absent.
assit, s'— (p. simp. de **s'asseoir**)
assombrir rendre sombre; **s'—** devenir sombre
assommer frapper à la tête
assourdir rendre comme sourd, moins éclatant, moins fort
assurer*, s'— vérifier
astiquer polir
astucieux qui a de la finesse, qui est rusé
attarder, s'— se mettre en retard, prendre son temps
atteignit (p. simp. de **atteindre**)
atteindre réussir à toucher, arriver à
attenant attaché à, voisin
attendre rester dans un endroit en pensant que quelqu'un va venir
attendrissant émouvant; sympathique
attente *f.* action d'attendre
attention* *f.* **faire—** regarder avec attention
attentivement avec attention
attirail *m.* ensemble d'objets
attirer faire venir à soi
attraper prendre
aubaine *f.* coup de chance, profit inespéré
aucun pas un
audace *f.* hardiesse, grand courage
au-delà plus loin
au-dessus de plus haut que. Ex. L'avion vole au-dessus de l'océan.
aujourd'hui le jour où nous sommes, le jour entre hier et demain
aumône *f.* don fait aux pauvres
auprès de très près de
aussi également (pour la comparaison). Ex. Jean a deux francs. Pierre a deux francs. Jean est aussi riche que Pierre.
aussitôt tout de suite après, un instant après; immédiatement
australien d'Australie
autant aussi; **d'— plus** proportionnellement plus
auteur *m.* celui qui écrit ou crée une chose. Ex. Shakespeare est l'auteur d'*Othello.*
autobus* *m.* véhicule de transports publics
autorisation* *f.* permission
autoriser* donner la permission
autoritaire* qui agit d'autorité
autorité* *f.* puissance légitime
autour Ex. Le satellite tourne autour de la terre.
autre (*adj.*) différent. Ex. Jacques est bon et l'autre garçon est excellent.
autre (*pro.*) personne différente; **d'autres** d'autres personnes
autrefois dans le passé
autrement dans le cas contraire; de façon différente
auxiliaire* *m.* homme qui aide
avaler faire descendre la gorge. Ex. Cet enfant a beaucoup de difficulté à avaler l'aspirine.
avancer* aller en avant; **s'—** aller en avant

avant †après. Ex. Le premier train arrive avant midi; l'autre arrive après deux heures.
avant-bras *m.* bras entre le coude et la main
avant-hier jour avant hier. Ex. Aujourd'hui c'est le 18, avant-hier c'était le 16.
avantage* *m.* **être à son—** être à son mieux
avare *m.* ou *f.* personne qui a la passion de l'argent. Ex. Scrooge est un avare.
avec qui accompagne. Ex. Venez avec moi!
avertir informer, prévenir
avertissement *m.* annonce. Ex. Les Dupont arrivent toujours sans avertissement!
aveu *m.* confession
aveugler rendre aveugle, priver de la vision des yeux
avidement* avec avidité
avidité* *f.* désir ardent
avion *m.* machine qui vole en l'air. Ex. *Air France* a beaucoup d'avions.
avis *m.* opinion
aviser donner son avis, dire son opinion
avocat *m.* celui qui défend son client devant la cour de Justice
avoir (verbe qui marque la possession); (verbe qui marque un temps passé); **—besoin de** ne pas avoir une chose nécessaire. Ex. L'homme a besoin d'air, d'eau et de nourriture.; **—le pas** être supérieur à; **—lieu** arriver. Ex. La foire a lieu devant l'église.; **en—assez** avoir trop d'une chose; **y—** exister. Ex. Il y a deux personnes ici: vous et moi.
avouer admettre; reconnaître qu'on a fait quelque chose
ayant (part. prés. de **avoir**)

B

bafouiller parler peu clairement
bagage* *m.* **plier—** partir, s'enfuir
baguette *f.* petit bâton long et flexible
bahut *m.* coffre de bois à couvercle bombé
baigner laver
baignoire *f.* recipient à eau dans la salle de bain où l'on prend un bain
bain *m.* Ex. Il se lavera quand il prendra son bain.; **sortie de—** peignoir, robe de chambre
baisser mettre plus bas; **se—** se mettre plus bas, se pencher
bal* *m.* Ex. On va au bal pour danser.
balbutier parler avec hésitation et difficulté sous l'effet de l'émotion
balle *f.* petit projectile de fusil, de revolver, etc.; (*pop.*) franc
balourd lourd, obtus
banane* *f.* fruit jaune importé de l'Amérique centrale
banc *m.* Ex. Dans le parc il y a des bancs où les personnes fatiguées s'asseyent.
bande* *f.* groupe
banque* *f.* Ex. Il a beaucoup d'argent à la banque.
banquier *m.* celui qui dirige une banque
barbe *f.* poils du visage. Ex. Ce vieillard a une longue barbe blanche.
barbiche *f.* petite barbe courte au menton
barrer* bloquer
bas †haut. Ex. Le mur est bas, la maison est haute.; **en—** dans la direction de la terre; de peu de volume
basaner brunir. Ex. Il a la peau basanée d'un vieux capitaine.
bassin *m.* pièce d'eau. Ex. Le petit garçon regarde son bateau qui traverse le bassin dans le parc.
bâti, être bien— avoir le corps fort et bien proportionné
bâtiment *m.* maison
bâtir construire
bâtonnet *m.* petit bâton
battre frapper. Ex. Le père bat le garçon avec sa canne.; **—la chamade** battre avec violence; **—des paupières** fermer et ouvrir les yeux rapidement; **se—** frapper l'ennemi
bavarder parler de choses sans importance
bazar* *m.* magasin où l'on vend toute sorte d'objets
béant qui a la bouche ouverte, largement ouverte
beau (*f.* **belle**) agréable à voir, à entendre,

etc. †laid; **avoir—** être inutile. Ex. Il a beau frapper à la porte, personne ne vient ouvrir.
beaucoup grande quantité, †peu
bégayer parler en hésitant et en répétant
bénéfice* *m.* gain, profit
bénévole* gratuit, désintéressé
besoin *m.* fait de manquer de choses nécessaires; **avoir— de** être nécessaire. Ex. L'homme a besoin d'eau, d'air et de nourriture.
bête* *f.* animal
bête (*adj.*) stupide
bêtise *f.* chose ou action stupide
beugler jeter de grands cris
beurre *m.* matière grasse qu'on fait avec la crème. Ex. Il met du beurre sur son pain.
beurrer mettre du beurre sur quelque chose
biais *m.* moyen oblique, indirect; **en—** obliquement
bibliothèque *f.* maison ou partie de maison où sont gardés les livres.
bicoque *f.* maison très pauvre
bien *m.* richesse
bien (*adv*). ce qui est bon. Ex. Vous parlez bien le français.; (expression pour insister) Ex. Vous êtes bien le docteur Livingston?; beaucoup; **—en chair** un peu grosse; **—entendu** certainement; **eh—** (exclamation qui sert d'introduction); **ou—** (conjonction qui présente une alternative)
bien que (*conj.*) quoique (exprime une condition)
bienfaisant qui fait du bien
bientôt après peu de temps
bière *f.* boisson alcoolisée, blonde ou brune. Ex. Milwaukee est la capitale de la bière.
bijou *m.* (*pl.* **bijoux**) ornement précieux. Ex. Un bracelet de diamants est un bijou.
bijouterie *f.* magasin qui vend des bijoux
billet *m.* morceau de papier. Ex. Un billet de mille francs.; **gros—** grosse somme d'argent
binocle *m.* lunettes maintenues sur le nez, pince-nez, lorgnon
bis une seconde fois
biscotte *f.* sorte de pain cuit
bise *f.* vent du nord
bistrot *m.* (*pop.*) établissement où l'on boit
bizarre* étrange, anormal, curieux
bizarrerie *f.* chose bizarre
blague *f.* chose amusante, plaisanterie
blanc (f. **blanche**) de la couleur du papier, de la neige, etc.
blé *m.* céréale avec laquelle on fait du pain
blesser faire mal à quelqu'un. Ex. Quand il s'est blessé avec son couteau, sa mère a appelé le docteur.
blessure *f.* lésion, endroit où l'on s'est fait mal. Ex. Après l'accident le médecin arrête le sang qui coule de ses blessures.
bleu de la couleur du ciel quand il fait beau
bleuâtre qui ressemble au bleu
bloquer* empêcher de passer, ne pas permettre de passer
blouson *m.* vêtement masculin qui s'arrête à la ceinture
bluffer faire du bluff
bocal *m.* (*pl.* **bocaux**) vase de verre à grande bouche
bois *m.* matière dure d'un arbre; petite forêt
boire Ex. On mange des carottes mais on boit des liquides.; **chanson à—** chanson qu'on chante quand on boit
boîte *f.* récipient
bol* *m.* récipient demi-sphérique
bombé convexe; arrondi comme le dos d'un chat qu'on caresse
bon †mauvais; **à quoi—?** pourquoi?; **de—coeur** avec plaisir
bonbon *m.* morceau de sucre ou de chocolat qu'on donne aux enfants
bondir sauter, faire des bonds
bonheur *m.* †malheur; état d'être heureux
bonhomme *m.* homme simple
bonne *f.* domestique qui est bonne à tout faire
bonté *f.* bonne action; qualité d'une personne qui est bonne

bord* *m.* limite, extrémité d'une surface, †milieu
bordeaux *m.* vin de Bordeaux
border mettre le long de; être le long de. Ex. Le trottoir borde la chaussée de la rue.
botte* f. chaussure qui couvre le pied et la jambe
bouche *f.* partie de la figure qui sert à parler et à manger
boucher bloquer
boucler (*pop.*) fermer
boudeur qui montre de la mauvaise humeur
boue *f.* terre pleine d'eau
bouffée *f.* souffle rapide; petite quantité
bouger* se déplacer, aller ici et là; **ça bouge** ça s'agite, il y a de l'agitation
bougie *f.* Ex. Il y a 10 bougies sur son gâteau d'anniversaire: elle a 10 ans.
bouilloire *f.* pot pour faire bouillir de l'eau
bouleverser causer une violente émotion
boulot *m.* (*pop.*) travail
bourdonnement *m.* bruit que font les insectes en volant
bourg *m.* gros village
bourgeoisement confortablement
bourrer remplir
bousculer pousser avec violence
bout *m.* extrémité. Ex. Il a lu le livre d'un bout à l'autre; fin; **à—de bras** le bras allongé
bouteille *f.* récipient en verre pour les liquides
boutique *f.* petit magasin. Ex. L'épicier, le boulanger, le mercier, le boucher ont des boutiques.
bouton *m.* l'objet qu'on tourne pour ouvrir une porte; petit objet rond qui permet de tourner; **—d'électricité** interrupteur, bouton pour allumer la lampe
brandir* agiter en l'air en menaçant
braquer diriger vers
bras *m.* partie du corps entre l'épaule et la main. Ex. J'ai deux jambes et deux bras.; **à bout de—** le bras allongé, tendu
bravade *f.* action de défi; action faite pour irriter
brave# (devant un nom) bon
bref (*f.* **brève**) en peu de mots; **avoir la parole brève** parler peu
bricoler travailler pour s'amuser (le soir, pendant le week-end, etc.)
bride* *f.* partie du harnais d'un cheval qui sert à le diriger
brièvement en très peu de mots
briller donner ou sembler donner de la lumière
brise* *f.* vent léger
broche* *f.* bijou de femme muni d'une épingle. Ex. Elle porte une broche sur sa robe.
broncher faire un faux pas
brosse* *f.* **—à dents** Ex. Il met de la pâte dentifrice sur sa brosse à dents.; **moustache en—** moustache courte comme une brosse
brouiller désunir, provoquer une querelle
broussaille *f.* épines et plantes entremêlées
broussailleux épais comme des broussailles
bruissement *m.* bruit faible, confus (en parlant de feuilles, de l'eau, etc.)
bruit *m.* son, tout ce qu'on entend. Ex. La nuit les bruits de la ville sont plus faibles.
brûlant très chaud (comme le feu qui brûle)
brûler Ex. Le feu brûle et donne de la chaleur.
brume *f.* brouillard, vapeur qui empêche de voir; air chaud qui tremble
brun de la couleur de terre
brusquement soudainement
brutalement* d'une manière brutale
buée *f.* vapeur au-dessus d'un liquide chaud
buisson *m.* groupe d'arbustes sauvages
bureau *m.* pièce où l'on travaille; grande table avec des tiroirs où l'on travaille; **—de tabac** petit magasin qui vend du tabac, des timbres, des journaux, etc.
burent (p. simp. de **boire**)
but *m.* fin qu'on se propose; résultat

qu'on cherche, point auquel on veut arriver
but (p. simp. de **boire**)
butagaz *m.* gaz en bouteille
buté obstiné
butor *m.* personne grossière qui dit et fait des choses impolies et choquantes

C

ça cela; **—et là** un peu partout, ici et là; **—m'est égal** cela ne me fait aucune différence; **—y est** c'est bien; **comment—?** (expression qui indique qu'on demande une explication)
cabinet #*m.* petite pièce; **—aux robes** petite pièce pour garder les robes; **—de toilette** salle de bain; **—de travail** bureau, pièce où l'on travaille
cacher empêcher de voir. Ex. L'élève cache son chewing gum au professeur.
cachet *m.* enveloppe digestible qui contient un médicament
cachette *f.* lieu secret où l'on cache des objets
cachot *m.* cellule obscure
cadeau *m.* présent, chose donnée. Ex. Le père Noël donne des cadeaux aux enfants.
cadre *m.* limite; bordure de bois d'un tableau
café *m.* boisson qu'on fait avec des grains importés du Brésil, etc.
cafetière *f.* récipient à faire du café
caillou *m.* petite pierre
calcaire formé de carbonate de calcium
calciner brûler
calleux dur et épais. Ex. Les mains d'un maçon sont calleuses.
calmer, se— devenir calme
calotte *f.* petit chapeau rond qui couvre seulement le crâne
calvaire* *m.* endroit où l'on a planté une croix
cambriolage *m.* vol fait dans une maison
cambrioleur *m.* homme qui entre dans une maison pour y voler des objets précieux
camion *m.* gros véhicule pour le transport des marchandises
camionnette *f.* petit camion
campagnard *m.* personne qui habite la campagne
campagne *f.* les champs, les prairies, les bois, †la ville
canne *f.* **—à sucre** plante dont on extrait le sucre
car parce que
caractère* *m.* ensemble des traits d'un homme; fermeté, courage
cardigan* *m.* chandail qui se ferme au milieu
carpette* *f.* petit tapis non fixé au sol
carré (*adj.*) solide; **mètre—** mesure de surface
carré *m.* forme géométrique à angles droits et à quatre côtés égaux
carreau *m.* verre de fenêtre. Ex. Une fenêtre a généralement 12, 16 ou 24 carreaux.; petits objets carrés pour le plancher ou les murs de la salle de bain.
carrefour *m.* lieu où se croisent plusieurs rues ou routes
carrelage *m.* plancher de salle de bain fait de petits carreaux
carreler paver avec des carreaux (petit carré de terre cuite ou de pierre)
carrière* *f.* profession
carte *f.* **—de visite** carte portant le nom et l'adresse; **—d'identité** carte portant le nom, l'adresse, la date de naissance, etc. d'une personne, de même que sa photo
carton *m.* feuille de papier très fort
cas *m.* circonstance, situation
casser mettre en deux ou en plusieurs morceaux
casserole* *f.* ustensile de cuisine
cauchemar *m.* mauvais rêve
cause* *f.* **à—de** pour cette raison
causer parler; produire
caustique* satirique, mordant
cavalier *m.* homme à cheval
cave# *f.* partie de la maison placée sous la surface de la terre
céder* donner ce qu'on a refusé
ceinturer entourer
célèbre* illustre, fameux

Vocabulaire

célibataire *m.* garçon qui n'est pas marié
cellier *m.* cave où l'on garde le vin, les provisions, etc.
cellule* *f.* pièce dans une prison
cendré couleur de cendre, grisâtre
centaine *f.* à peu près cent
cependant (conjonction qui marque une opposition) Ex. Il marche lentement; cependant, il va arriver avant nous.
cerceau *m.* cercle de bois que font rouler les enfants avec un petit bâton
cercle *m.* club
certainement pour sûr, sans aucun doute
certes certainement
cerveau *m.* partie de la tête. Ex. On pense avec le cerveau.
cesser* arrêter
chagrin triste, mélancolique
chaînette *f.* petite chaîne; **—de sûreté** chaîne qui empêche de pousser la porte grande ouverte
chair *f.* substance formant le corps de l'animal. Ex. L'homme est un squelette couvert de chair et de peau; **bien en—** assez grosse
chaise *f.* meuble sur lequel on s'assied. Ex. Il y a 6 chaises autour de la table.
chaleur *f.* qualité de ce qui est chaud, †froid
chamade *f.* signal; **battre la—** être affolé, battre avec violence (à cause de la peur)
chamaillerie *f.* petite querelle
chambre *f.* pièce pour dormir
champ *m.* terre cultivée
chance *f.* fortune; hasard; bonne fortune
chandail *m.* vêtement de laine. Ex. Un pullover est un chandail.
Chandeleur *f.* fête catholique célébrée le 2 février
chandelle *f.* sorte de bâton de graisse qu'on fait brûler pour s'éclairer. Ex. L'électricité a remplacé les chandelles.
changer* devenir autre
chanson f. paroles mises en musique; **—à boire** chanson qu'on chante quand on boit
chanter produire avec la bouche des sons musicaux; faire du bruit; raconter
chantier *m.* lieu de construction
chapeau *m.* ce qu'on porte à la tête
chapitre *m.* division d'un livre. Ex. Ce livre a 8 chapitres.
chaque Ex. Chaque garçon a un livre, n'est-ce pas? (tous les garçons sans exception)
charbon *m.* matière noire et dure qu'on extrait de la terre et qu'on utilise pour chauffer les maisons
charge* *f.* accusation
charger donner à faire
charmant* qui charme
chasse *f.* action de poursuivre un animal
chasser prendre ou tuer des animaux sauvages; faire partir
chasseur *m.* celui qui chasse. Ex. Ce chasseur a tué 2 oiseaux.
chat *m.* animal domestique qui chasse les souris
château *m.* grande maison fortifiée, château fort; grande maison élégante à la campagne
chaud †froid. Ex. Il fait chaud en été et froid en hiver.
chauffer rendre chaud. Ex. Les radiateurs chauffent mon appartement en hiver.
chaussée *f.* partie de la rue où roulent les véhicules
chausser mettre des chaussettes ou des souliers
chaussette *f.* bas qui ne monte pas très haut. Ex. Quel garçon! Il ne change jamais de chaussettes!
chaussure *f.* soulier, ce qu'on porte au pied
chèche *m.* coiffure arabe
chemin *m.* route
cheminée *f.* endroit où l'on fait du feu dans une chambre
cheminer suivre un chemin, marcher sur une route
chemise *f.* vêtement qui couvre la poitrine, le dos et les bras d'un homme
chêne *m.* arbre dont le bois est très dur
cher (*f.* **chère**) que l'on aime beaucoup;

d'un grand prix
chercher essayer de trouver en regardant; **—à** essayer de
chéri *m.* (terme d'affection souvent employé entre homme et femme, parents et enfants, etc.)
chétif misérable, faible
cheval *m.* animal domestique qui tire les voitures; **à—** sur le dos d'un cheval
chevaleresque* noble
chevalier* *m.* titre de noblesse. Ex. Le titre de chevalier est inférieur à celui de baron; titre honorifique
chevelure *f.* l'ensemble des cheveux
chevet *m.* partie du lit où l'on pose la tête
cheveu *m.* Ex. Je suis blond: j'ai les cheveux blonds.; **au—rare** qui a très peu de cheveux
chevroter parler d'une voix tremblante
chez à la maison de; au magasin de
chien *m.* animal domestique. Ex. Le chien est le meilleur ami de l'homme.
choc* *m.* coup
choisir prendre de préférence
choquer* offenser, faire une impression désagréable
chose *f.* objet
chouette *f.* oiseau nocturne
chronomètre* *m.* montre de précision
chuchotement *m.* action de parler bas à l'oreille
chuchoter parler bas à l'oreille
chute *f.* action de tomber. Ex. Beaucoup de jeunes couples voient les chutes du Niagara.
ciel *m.* atmosphère au-dessus de la terre
cimenter* rendre solide avec du ciment
cimetière *m.* lieu où l'on enterre les morts
cinquantaine *f.* environ cinquante ans
circonstance* *f.* situation; **figures de—** visages dont l'expression se conforme à la situation
circulation# *f.* mouvement d'automobiles dans les rues
ciseaux *m. pl.* Ex. Le coiffeur coupe les cheveux avec une paire de ciseaux.
cité# *f.* partie d'une ville; ville
citron *m.* fruit jaune acide employé pour faire de la limonade
civil *m.* homme qui n'est pas dans l'armée; **en—** pas en uniforme
clair* évident; †sombre; **voir—** comprendre
clapotis *m.* bruit des vagues contre un objet. Ex. J'aime entendre le clapotis de l'eau contre le bateau.
claquer fermer avec bruit
clarté *f.* lumière; caractère intelligible
classer juger une affaire terminée
clé *f.* (**clef**) petite barre de métal qui ouvre ou ferme la serrure d'une porte
clef *f.* (voir **clé**)
client* *m.* Ex. Le docteur a beaucoup de clients.
clignoter ouvrir et fermer les yeux plusieurs fois pour s'adapter à la lumière
clochette *f.* petite cloche
cloison *f.* mur mince qui sépare deux pièces à l'intérieur d'une maison
clos* fermé
clou *m.* petit objet en fer pointu qu'on fait entrer dans le mur avec un marteau. Ex. Il met un clou dans le mur pour accrocher ce portrait.
code *m.* manière d'agir, ce qui sert de règle
cœur *m.* organe qui fait circuler le sang; **de bon—** avec plaisir; **donner un coup au—** toucher vivement, frapper
coffre *m.* grande boîte; boîte dans laquelle on enferme les objets précieux
coffret *m.* petite boîte pour garder les objets précieux
coiffer couvrir la tête
coin *m.* endroit où deux murs se rencontrent. Ex. Dans une pièce il y a ordinairement quatre coins.; (*fam.*) quartier
coincer rendre immobile
colère *f.* irritation; **être en—** être fâché avec. Ex. Ma mère sera en colère parce que ma chemise est sale.
collègue* *m.* personne qui a la même fonction, la même profession
coller faire tenir deux objets ensemble avec de la colle, attacher. Ex. Elle colle le timbre sur l'enveloppe.

collet *m.* piège pour prendre les oiseaux, lapins, etc.
collier *m.* bijou que les dames portent autour du cou
colline *f.* petite montagne
colonne* *f.* Ex. Cette page a deux colonnes.
combattant *m.* soldat qui fait la guerre
combien quelle quantité de? Ex. Combien de mains avez-vous? —J'ai deux mains.
comble *m.* sommet, extrémité; **mettre le—** mettre au plus haut point
comédie* *f.* pièce amusante
commandant* *m.* officier qui commande
commander* donner l'ordre de faire quelque chose. Ex. Il commande le menu au restaurant.
comme de la même manière que. Ex. Vous parlez comme moi.; (exclamation). Ex. Comme vous êtes intelligent!; au moment où. Ex. Comme Newton dormait sous un arbre, une pomme est tombée sur lui.
commencer* †finir
comment de quelle façon. Ex. Comment allez-vous?; **—ça**? (expression qui indique qu'on demande une explication)
commerçant *m.* homme qui travaille dans le commerce
commettre* faire. Ex. Le criminel commet un crime.
commissaire *m.* magistrat qui dirige la police dans un quartier de la ville.
commission* *f.* groupe choisi par une assemblée; achat ou chose à faire
commun*: avoir de— être pareil à, être semblable à
communal de la commune; école communale, école élémentaire
commune *f.* **—mixte** village où les Arabes sont en majorité
communiquer permettre de passer. Ex. Ce corridor communique avec toutes les chambres.
compagnon* *m.* camarade
complaisance *f.* obligeance, disposition à plaire
complètement* entièrement
complice* *m.* ou *f.* celui qui aide un criminel
complicité* *f.* participation à un acte illégal
comprendre trouver le sens. Ex. Il comprend la phrase.
compromettre mettre en péril
compte *m.* ce qu'il faut payer
compter chercher le nombre; attendre; avoir l'intention de; **—sur** espérer. Ex. Mon père compte sur moi pour laver l'auto.
comptoir-caisse *m.* grande table chez un marchand qui sert aussi de caisse pour enfermer des objets à vendre
comte* *m.* titre de noblesse
concerner* traiter, avoir rapport à
concierge *m.* ou *f.* gardien d'une maison
conclure* arriver à une conclusion
conclut (p. simp. de **conclure**)
concours *m.* aide; compétition
condamnable qu'on peut condamner
condamner* Ex. Le juge condamne le criminel à 10 ans de prison.
condition* *f.* **à—de** si
conduire faire marcher une personne, un animal; mener
conduise (p. subj. de **conduire**)
conduite* *f.* actions, manière d'agir
confiance* *f.* Ex. Un enfant a confiance en sa mère; il lui dit tout.; **mettre en—** donner de l'assurance
confidence# *f.* secret
confier remettre aux soins de quelqu'un. Ex. La mère confie son fils au directeur de l'école.
confirmer* garantir l'exactitude de
confondre couvrir de confusion, étonner beaucoup; convaincre de fausseté
confort* *m.* état d'être à l'aise. Ex. Cet appartement de luxe a tout le confort.
confus honteux, embarrassé
confusion *f.* sentiment d'être gêné, embarras causé par la modestie
congé *m.* renvoi d'une personne; **prendre—** demander la permission de partir
congédier laisser partir; renvoyer, ne plus permettre de travailler

congeler* devenir solide
connaissance *f.* idée, talent; personne qu'on connaît; **faire la—** commencer à connaître; **reprendre—** Ex. Un boxeur gagne quand son adversaire ne reprend pas connaissance.
connaître Ex. Qui est cet homme? Je ne le connais pas. —Oh, c'est Paul Dupont.; savoir les forces et les faiblesses
consacrer* donner à
conseil *m.* avis, opinion; assemblée de personnes qui délibère; **—de guerre** assemblée qui délibère et qui rend la justice militaire
conserver* garder en bon état
considérer* regarder
consistance* *f.* état d'un liquide qui prend de la solidité
constater vérifier
constituer* former la base
constructeur *m.* homme qui construit
contenir Ex. Cette tasse-là contient du café et dans cette tasse-ci il y a du thé.
contenter*, se— être satisfait
continuer* aller plus loin
contraint gêné, peu naturel
contraire* opposé. Ex. Cet homme dit une chose et sa femme dit toujours le contraire.
contrairement* à la différence
contrarier causer de la peine, de la colère
contrariété *f.* ennui, mécontentement
contre opposé à. Ex. David contre Goliath, Harvard contre Yale.; très près
contrecoeur, à— sans plaisir
contredire dire le contraire; **se—** dire le contraire de ce qu'on a déjà dit
contrefort *m.* petite chaîne de montagnes faisant partie d'une grande chaîne de montagnes
convaincre rendre sûr, être sûr; accuser et trouver coupable d'un crime
convaincu (part. passé de **convaincre**)
convenir être agréable à
convenu arrangé à l'avance
convoitise *f.* désir ardent
convulser* causer des contractions violentes; **se—** avoir des contractions, des convulsions
coopérative* *f.* société d'achat ou de vente en commun
copeau *m.* petite quantité d'une substance
coque* *f.* enveloppe fragile d'un œuf
cordelette *f.* petite corde
cordon *m.* corde que le concierge tire pour ouvrir la porte de la maison
corne *f.* défense que portent certains animaux. Ex. La vache a deux cornes.
corps *m.* Ex. Le corps d'un bébé est plus petit que celui d'un homme.
corriger rectifier une faute. Ex. Le professeur corrige la faute de l'élève.
corvée *f.* travail déplaisant, désagréable
costaud *m.* (*pop.*) homme solide, fort
côte *f.* os de la poitrine. Ex. Les côtes forment une cage. On se tient les côtes quand on rit beaucoup.; bord. Ex. La côte de la Bretagne est rocheuse.; **—d'azur** au bord de la mer méditerranéenne
côté *m.* face; **de ce—** ici; **du—de son père** de la famille de son père
cou *m.* partie du corps entre la tête et les épaules. Ex. Il met sa cravate autour du cou.
couchant, le soleil— le soleil qui disparaît derrière l'horizon
couche *f.* substance appliquée sur une surface. Ex. La neige couvre tout d'une couche blanche.
coucher *v.* mettre au lit; **se—** se mettre au lit, se mettre dans une position horizontale
coucher *m.* **le—du soleil** action du soleil qui descend à l'horizon
coude *m.* partie du bras où le bras se plie. Ex. Ne mets pas tes coudes sur la table!
coudre attacher deux morceaux d'étoffe. Ex. La couturière coud la robe.
couler passer d'un endroit à un autre (pour un liquide). Ex. L'eau coule dans la rivière; continuer
couleur *f.* Ex. Rouge, blanc et bleu sont les couleurs américaines.
couloir *m.* corridor; dans une maison c'est un passage sur lequel s'ouvrent plusieurs portes

coup *m.* grand bruit; détonation de revolver, de fusil; action de frapper; attaque; pari, l'argent qu'on met sur la table pour continuer à jouer au poker; **—d'oeil** regard rapide; **—sur—** l'un après l'autre; **d'un—** tout d'un coup, subitement; **—de sifflets** son brusque de sifflets; **sur le—** tout de suite; **tout à—** soudainement; **tout d'un—** subitement

coupable *m.* homme qui fait un crime, un criminel

coupe-papier *m.* couteau pour ouvrir les lettres, etc.

couper Ex. Il coupe la viande avec un couteau; traverser

cour *f.* espace entouré de murs, de maisons, etc.

courant *m.*: **être au—** être informé

courant *m.* actuel. Ex. Le 3 courant est le troisième jour du mois dans lequel on se trouve.; électricité; mouvement de l'eau ou de l'air dans la même direction

courber baisser, mettre plus bas

courette *f.* petite cour

courir aller vite; être exposé à

Couronne *f.* gouvernement anglais; **aux frais de la—** c'est le gouvernement qui paie

couronne *f.* fleurs, etc. arrangées en forme de cercle et qu'on met sur une tombe

cours, au—de pendant

course *f.* action d'aller porter ou chercher quelque chose en dehors de la maison

court †long. Ex. En hiver les nuits sont longues et les jours sont courts.

couru (part. passé de **courir**)

cousine* *f.* la fille de votre oncle ou de votre tante

cousu (part. passé de **coudre**)

couteau *m.* objet avec lequel on coupe (de la viande, etc.)

couturière *f.* fęmme qui fait ou répare des vêtements de femme

couvert *m.* ce qu'on met sur la table (assiettes, verres, couteaux, fourchettes, etc.)

couvert (part. passé de **couvrir**)

couverture *f.* Ex. Sur un lit il y a deux draps blancs et une couverture chaude.

couvrir mettre une chose sur une autre pour la protéger, etc. Ex. Il faut couvrir la tête quand on sort en hiver.

craie *f.* matière (blanche) employée pour écrire au tableau noir

craignez (prés. de **craindre**)

craindre avoir peur

craqueler produire de petite craquelures, de petites ouvertures

craquer* faire un bruit sec. Ex. La neige craque quand il fait très froid.

cravache *f.* baguette dont on se sert pour faire marcher un cheval

crayon *m.* objet qui sert à écrire. Ex. Les élèves emploient des stylos et des crayons à l'école quand ils écrivent.

créer* faire

crêpe* *m.* étoffe de soie ou de laine

crépi couvert de plâtre

creuser faire un trou

creux *m.* cavité. Ex. Il a son argent dans le creux de sa main.

cri* *m.* Ex. Il pousse un cri, «Aidez-moi!»

crier* appeler ou dire d'une voix forte

cris-cris *m. pl.* bruit que font certains insectes

crise* *f.* moment important dans une maladie; attaque de nerfs; Ex. Elle a souvent des crises parce qu'elle est très démoralisée.

crisper faire des contractions

crissement *m.* bruit aigre. Ex. Le grincement de dents est un crissement.

cristal *m.* verre

cristallin de la nature du cristal

croc *m.* longue dent d'un animal. Ex. Un crocodile a de longs crocs.

crochet *m.* fer recourbé

croire tenir pour vrai, avoir foi en. Ex. Je crois en Charles car il dit toujours la vérité.; penser. Ex. Elle est riche? —Je ne crois pas.; **tout porte à—** tout semble indiquer

croiser mettre en croix

croissant (part. prés. de **croître**) grandissant

croix *f.* symbole chrétien. Ex. Jésus-Christ est mort sur la croix.

croûton *m.* partie de croûte de pain, petit morceau de pain
cruauté *f.* qualité de ce qui est cruel
cueillir (*fam.*) arrêter
cuir *m.* peau d'animal. Ex. Les souliers, les ceintures sont en cuir.
cuire préparer les aliments
cuisine* *f.* pièce où l'on fait les repas; art de préparer les repas
cuisinier *m.* homme qui fait la cuisine
cuisinière *f.* femme qui fait la cuisine
cuivre *m.* métal de couleur rouge. Ex. Le symbole chimique de cuivre est Cu.
culotte *f.* vêtement masculin qui va de la ceinture aux genoux
culotter mettre une culotte
culpabilité *f.* état d'une personne coupable
culture# *f.* action de cultiver
curé *m.* prêtre qui dirige une paroisse
curieux* qui veut savoir. Ex. L'étudiant est curieux de savoir s'il a un B ou un C.; bizarre, étrange
curiosité* *f.* disposition de celui qui veut savoir

D

dalle *f.* plaque de pierre
dame *f.* femme; **—de compagnie** femme qui accompagne une personne riche; (exclamation) eh bien!
dangereux* plein de danger
dangereusement* d'une manière dangereuse
dans à l'intérieur; pour, avec
darder lancer vivement, diriger avec force, fixer
datte* *f.* fruit du dattier
davantage plus
de (marque possession) Ex. Le livre de Jean; (marque la direction). Ex. Je viens de Paris.
dé *m.* petit cube marqué de points et servant à jouer
débarquement *m.* action de quitter un bateau
débarras *m.* cabinet où l'on met les objets dont on ne veut plus ou qui gênent
débarrasser, se—de faire partir ce qui gêne, ce qui embarrasse
débauché* *m.* homme qui mène une vie immorale
déborder surcharger, avoir trop à faire
débouché *m.* moyen de sortir de l'embarras; carrière
déboucher arriver à un lieu plus large, sortir d'un lieu serré. Ex. Cette petite rue débouche sur le boulevard.
debout †assis. Ex. Le professeur est debout au tableau noir mais les élèves sont assis.; **tenir—** être accepté comme vrai
débrouiller, se— se tirer d'affaire, trouver une solution intelligente à un problème difficile
début* *m.* commencement
décapiter* couper la tête
déchiffrer découvrir, comprendre ce qui n'est pas clair
déchirer mettre en morceaux
décidément* sans aucun doute
décider*, se—à arriver à la décision
décoller détacher
décolorer* perdre la couleur
décorner enlever les cornes
décourager* faire perdre courage
découvert non couvert; **à—** sans protection
découvrir trouver, mettre à jour, †couvrir
décrire faire une description
dedans à l'intérieur, dans quelque chose
dédommager donner une compensation
défaut *m.* manque de qualités
défendre*, se— faire sa défense
défiler passer
définitif* absolu
déformer* altérer la forme
dégoûter inspirer de la répugnance, rendre malade
déguerpir quitter un lieu, partir à toute vitesse
déguisement *m.* façon de cacher son identité
déguiser action de cacher son identité
dehors à l'extérieur, †dedans. Ex. Il fait froid; le pauvre chien est dehors.
déjà (marque que l'action est faite avant) Ex. Vous êtes déjà ici à six heures? Mais le dîner est pour huit heures.

déjeuner *m.* repas au milieu du jour; **petit—** premier repas du jour
déjeuner (*v.*) prendre le petit déjeuner ou le déjeuner
délier ôter les liens
délire* *m.* trouble mental
délivrer* libérer
demain *m.* jour après aujourd'hui; **d'ici—** entre maintenant et demain
demander* questionner; faire savoir qu'on a besoin de quelque chose. Ex. Il demande 150 francs pour sa bicyclette mais il va accepter 140 francs.
démarche *f.* action, conduite
démarrer partir
démasquer découvrir, enlever le masque
démesuré hors de proportion, excessif
demeure *f.* maison
demeurer rester
demi (*adj.*) moitié. Ex. Il y a 30 minutes dans une demi-heure; **à—** à moitié. Ex. L'orange est à demi mangée: il en reste la deuxième moitié.
demi *m.* verre de bière
demi-botte *f.* botte qui s'arrête à mi-jambe, portée par les soldats
démissionner renoncer volontairement à une fonction
démobilisation* *f.* fait de rendre un soldat à la vie civile
démobiliser* rendre un soldat à la vie civile
demoiselle *f.* jeune fille, femme qui n'est pas mariée
démolir* détruire
démoniaque satanique
démontrer* prouver
dénoncer signaler à la police, à la justice, etc.
dénouer défaire un nœud, détacher
dent *f.* Ex. Quand j'ai mal aux dents, je vais chez le dentiste.
dénuement *m.* misère, manque de ce qui est nécessaire
dépareiller ôter l'un des objets qui allaient ensemble
départ* *m.* action de partir; **point de—** endroit où tout commence
département# *m.* division administrative du pays
dépasser être plus grand, aller au-delà
dépêcher, se— aller plus vite
dépense *f.* action d'employer de l'argent à quelque chose
dépenser employer de l'argent. Ex. Elle dépense tout l'argent de son mari.
déplacer changer une chose de place
déposer mettre; mettre dans un lieu sûr; **—une plainte** faire une déclaration à la justice d'un vol, etc.
dépouiller dénuder; **arbres dépouillés** arbres sans feuilles
dépourvu privé de, sans
déprimer être dans une dépression nerveuse; décourager et fatiguer
depuis (adverbe qui marque le moment où une action a commencé ou le temps qui a passé) Ex. Nous sommes en classe depuis cinq minutes car il est neuf heures cinq et la classe commence à neuf heures.
député* *m.* représentant du peuple dans une assemblée politique
déraisonnable †raisonnable
dérangement *m.* trouble
déranger changer de place les choses arrangées; gêner, troubler, causer de l'ennui
dernier (*f.* **dernière**) †premier. Ex. Le dernier jour de l'an est le 31 décembre.; celui qu'on vient de mentionner; **—temps** récemment; **avant—** celui qui précède le dernier
derrière *m.* partie du corps sur laquelle on est assis
derrière (*prép.*) †devant. Ex. La classe est devant le professeur et le tableau noir est derrière lui.
dérober voler
dès tout de suite après; **—que** aussitôt que. Ex. Je viendrai dès que j'aurai le temps.
désarmer* enlever les armes à quelqu'un
descendre* aller plus bas. Ex. Il descend de la montagne à la plaine.
désert* *m.* Ex. Le Sahara est un grand désert.
désert* (*adj.*) où il n'y a personne
désespérer* perdre l'espoir; désoler

déshabiller ôter les vêtements, †habiller
déshonorer* faire perdre la réputation
désigner* indiquer
désintéressé# qui ne pense pas à gagner de l'argent
désir* *m.* action de désirer
désoler* rendre triste; causer de la douleur
désordonner mettre en désordre
dessiner représenter des objets sur du papier en se servant d'un crayon. Ex. Un artiste dessine cet arbre.; **se—** tracer une silhouette, se profiler
dessus sur quelque chose; à la surface de
destin* *m.* tout ce qui arrive et doit arriver à quelqu'un
détacher* ôter, †attacher
détail* *m.* **entrer dans le—** donner beaucoup de détails, expliquer totalement
détailler donner des détails
détaler partir en courant
détendre calmer, mettre plus à l'aise
détente *f.* repos, intervalle calme
détermination *f.* acte de volonté qui décide
détester* ne pas aimer du tout
détour*, sans— directement
détourner tourner à côté
détresse* *f.* angoisse, affliction
détruit démoli, en ruines
deux, à— ensemble (en parlant de deux personnes)
dévaler aller de haut en bas
dévaliser voler
devant †derrière. Ex. Le professeur est devant la classe.
devenir être autre qu'on était. Ex. L'enfant devient homme.
déverser faire couler
dévêtir ôter les vêtements; **se—** ôter ses propres vêtements, se déshabiller
deviner imaginer, trouver par intuition
dévisager regarder avec insistance
devoir *m.* obligation; travail à faire pour l'école
devoir (*v.*) être obligé de. Ex. Il a dû vouloir se lever. (indique la probabilité qu'il a voulu se lever)
dévorer* manger avec avidité
diable *m.* démon
Dieu *m.* être suprême, Créateur
différer* être différent
difficile †facile. Ex. Il est difficile de travailler la nuit; il est plus facile de dormir.
difficulté* *f.* chose difficile
dilater* ouvrir largement
dilettante* *m.* qui fait quelque chose pour le plaisir
dire faire savoir en parlant. Ex. Il dit «bonjour».
directeur* *m.* celui qui dirige
direction *f.* personnel qui dirige
diriger Ex. Le chef d'orchestre dirige les musiciens.; **se—** aller vers
discerner* comprendre, distinguer par l'esprit
discours *m.* conversation, entretien
discrètement* avec discrétion
disjoindre séparer ce qui était joint
disparaître †apparaître. Ex. Il a disparu il y a 5 ans: depuis ce temps personne ne l'a vu.
disparition *f.* action de disparaître, de ne plus être là
disposer mettre; placer; **se—** se préparer
disposition# *f.*, **à sa—** qu'il peut employer
disque *m.* objet plat et rond qu'on joue sur un phonographe
disséminer* mettre ici et là; disperser
dissimuler cacher
dissiper, se— disparaître
distillerie* *f.* lieu où l'on distille
distrait dont l'attention est attirée par autre chose
divan* *m.* sofa
divers* différent; plusieurs; **fait-divers** petit article de journal concernant les accidents, les cambriolages, etc.
diviser* couper en parties
djellabah *f.* longue blouse arabe
docilement sans protester
docteur* *m.* médecin
doigt *m.* Ex. J'ai 10 doigts aux 2 mains.
domestique* *m* ou *f.* homme ou femme au service de quelqu'un
dominer*, se— se maîtriser

don *m.* qualité naturelle. Ex. Mohammed a le don de la prophétie.
donc (expression pour insister sur une action) Ex. Viens donc!
donner fournir, mettre quelque chose dans la main de quelqu'un sans rien demander en retour. Ex. Le père Noël donne des cadeaux aux enfants.; **Je te le donne en mille** Devine!; **—sur** ouvrir sur
dont de qui
dormir se reposer en fermant les yeux
dos *m.* †poitrine. Ex. L'alpiniste porte un sac sur son dos.
dossier *m.* ensemble de tous les papiers qui concernent une même affaire. Ex. Chaque élève a son dossier au bureau.
doubler* mettre en double
doucement avec soin, avec attention; sans violence
douceur *f.* qualité de ce qui est doux, agréable
doué plein de talent; **être—** avoir des dons (d'intelligence, d'habileté, etc.), avoir des talents. Ex. Il est très doué pour la musique: c'est un grand pianiste.
douleur *f.* ce que nous sentons quand nous avons mal. Ex. Je crois que ma jambe est cassée. Quelle douleur!
doute* *m.* †certitude; **hors de—** certain
douter* être dans l'incertitude
douteux †sûr, certain
doux (*f.* **douce**) agréable, calme
douzaine* *f.* Ex. Une douzaine d'œufs = 12 œufs.
drap *m.* Ex. On met 2 draps blancs sur le lit et après, une couverture.
draper* couvrir d'étoffe; **se—** s'envelopper
dresser, se— se mettre debout
droit *m.* ce qu'une personne peut faire d'après la loi. Ex. En France les adultes ont le droit de voter.
droit †gauche. Ex. On écrit avec la main droite.; qui n'est pas courbé; **tout—** directement devant soi sans tourner à droite ou à gauche
drôle* amusant, bizarre
dû (part. passé de **devoir**)
durement avec dureté, sévèrement, énergiquement
durer exister dans le temps. Ex. L'hiver dure longtemps cette année; le printemps n'arrive pas!
dureté *f.* qualité de ce qui est dur
dut (p. simp. de **devoir**)

E

eau *f.* Ex. Le symbole chimique de l'eau est H_2O.
ébrouer, s'— souffler d'impatience
écart, à l'— dans un endroit isolé
écarter séparer, mettre à côté; **s'—** s'éloigner
échafaud *m.* lieu où l'on exécute un criminel. Ex. Pendant la Révolution il y avait un échafaud sur la Place de la Concorde à Paris.
échange* *m.* action de recevoir une chose et d'en donner une autre; **en—de** pour, à la place de
échapper sortir; fuir, s'évader; **s'—** quitter, sortir. Ex. Le prisonnier s'échappe de la prison.
écharpe *f.* vêtement pour la tête et les épaules
échec *m.* †succès
échelle *f.* escalier portatif
échouer ne pas réussir. Ex. Les mauvais élèves échouent aux examens.
éclair *m.* idée soudaine; décharge électrique entre deux nuages. Ex. On entend le tonnerre après avoir vu l'éclair.
éclairage *m.* lumière
éclaircir rendre clair; jeter de la lumière; expliquer
éclairer rendre clair. Ex. Cette pièce est éclairée par 3 lampes.; **s'—** devenir clair
éclat *m.* vive lumière
éclater exploser
écoeuré dégoûté
école *f.* maison où l'on apprend
économe qui aime faire des économies
économie* *f.* argent qu'on a mis de côté
écouler, s'— passer

écouter faire attention aux sons. Ex. J'écoute la musique.
écrasant très lourd, qui pèse énormément
écraser faire tomber et blesser quelqu'un avec un véhicule. Ex. L'autobus écrase ce jeune homme.; exercer une forte pression. Ex. La foule en panique écrase l'enfant.
écrier, s'— dire à voix haute, crier
écrin *m.* boîte pour les bijoux
écrire Ex. Il écrit le mot au tableau noir.
écriture *f.* façon d'écrire. Ex. Votre écriture est impossible à lire!
édifier# ériger, construire
effacer faire disparaître
effarement *m.* grande peur
effarer, s'— éprouver de la peur, s'inquiéter
effectuer faire
effet *m.*, **en—** (marque une explication) car. Ex. La police l'a arrêté, en effet il avait volé de l'argent.; (pour insister sur une action, un fait) C'est bien ça!
effluve *m.* odeur, arôme
efforcer, s'— faire des efforts
effrayer inspirer de la peur
égal, ça m'est— ça me laisse indifférent, ça ne fait aucune différence
également aussi; autant
égarer, s'— se perdre
égorger couper la gorge, tuer
égout *m.* gros tubes (tuyaux) sous les rues pour la pluie et les eaux sales
élargir* rendre plus large
électrique*, lanterne— lampe électrique
élève *m.* ou *f.* personne qui étudie à l'école
élevé haut; construit
élever s'occuper d'enfants. Ex. Les parents élèvent leurs enfants.; **s'—** monter
éloge *m.* louange, action de louer. Ex. Le président a fait l'éloge de la classe au mois de juin.
éloigner, s'— quitter quelque chose
émail *m.* vernis qu'on met sur les lavabos, les baignoires, les frigidaires
embarquer*, s'— monter à bord d'un navire
embarras* *m.* état d'être gêné, d'être embarrassé; **être dans l'—** ne pas savoir quoi faire
embarrassant gênant, difficile
embarrasser* gêner, gêner les mouvements, obstruer
embêter (*pop.*) ennuyer
embouteillage *m.* arrêt de la circulation des véhicules
embrasser prendre dans les bras
émerger* sortir à la surface
émerveillement *m.* état de celui qui a une vive admiration
éminence* *f.* élévation de terrain, hauteur
emmener conduire loin d'un endroit
emparer, s'— saisir
empêcher arrêter l'action de quelque chose ou de quelqu'un. Ex. L'agent de police empêche l'auto d'avancer.
emplacement *m.* terrain, lieu propre à construire un bâtiment
emplir remplir, rendre plein
emploi *m.* travail, poste
employé* *m.* homme qui travaille. Ex. Je suis employé à la compagnie X.; **—de 3e classe** employé dont le rang est assez inférieur
empoisonner donner du poison
emportement *m.* mouvement violent causé par la colère, etc.
emporter gagner, avoir la supériorité; devenir furieux; **s'—** se laisser aller à la colère
empourprer rendre très rouge, pourpre
empreinte *f.* marque
empresser, s'— agir vite, se hâter
emprunté embarrassé, contraint
emprunter prendre (avec l'intention de rendre)
en (*prep.*) dans; **—fait** en vérité
en (*pro.*) de cela. Ex. As-tu de l'argent? —Je n'en ai pas!
encastrer, s'— remplir
encombrer gêner les mouvements à cause de l'abondance. Ex. La rue est encombrée d'automobiles.

encore de nouveau, davantage, en plus. Ex. Voici un dollar. —Encore, s'il vous plaît!; toujours

encre *f.* liquide dont on se sert pour écrire. Ex. Le professeur écrit à l'encre rouge.

endormir faire dormir; **s'—** commencer à dormir

endroit *m.* lieu. Ex. Mon trésor est dans un endroit secret.; **par—s** ici et là

enfance *f.* âge où l'on est enfant. Ex. L'enfance va de la naissance à l'âge de 12 ans.

enfant *m.* ou *f.* petit garçon ou petite fille

enfantin comme un enfant

enfer *m.* où les démons habitent, endroit pour les démons et les damnés

enfermer fermer à clef

enfiler mettre

enfin à la fin. Ex. La classe dure 40 minutes et enfin la cloche sonne!; **mais—quoi** mais alors!

enfoncer pénétrer; **s'—** pénétrer; **enfoncé** qui n'est pas à la surface

enfouir mettre en un lieu secret

enfuir, s'— s'éloigner, disparaître

engager# prendre comme employé; commencer; obliger; **s'—** donner sa parole

engraisser rendre gras. Ex. Il vaut mieux engraisser cette vache avant de la tuer.

énigme* *f.* chose difficile à savoir

enivrer troubler, rendre ivre. Ex. L'alcool enivre.

enlever prendre par force; ôter

ennuyer fatiguer par manque d'intérêt, monotonie, †intéresser. Ex. Ce discours politique m'ennuie.; importuner. Ex. Ça m'ennuie de faire mes devoirs maintenant. Pourrai-je les faire demain?

enorgueillir tirer vanité, être fier

énorme* très grand

enquérir, s'— s'informer, découvrir

enquête *f.* recherche, investigation

enraciner, s'— s'établir, se fixer dans un endroit

enrayer arrêter le fonctionnement

enregistrement *m.* action d'enregistrer, de noter officiellement

enrichir*, s'— devenir riche

enrouer rendre la voix moins pure. Ex. Quand on parle longtemps, la voix devient enrouée.

enrouler, s'— s'envelopper

enseignement *m.* profession de maître qui enseigne dans une école, etc.

ensuite puis, après

entamer commencer

entendre percevoir des sons par les oreilles; comprendre; vouloir

entendu, bien— certainement

entier* intact, où il ne manque rien; **tout—** entièrement, totalement

entièrement complètement, totalement

entourage* *m.* toutes les personnes qui vivent avec quelqu'un ou accompagnent quelqu'un

entourer aller autour. Ex. L'eau entoure l'île.

entraînement *m.* action de tirer avec force, attraction vers

entraîner tirer avec soi

entre Ex. 7 est entre 6 et 8.

entrebâillement *m.* ouverture étroite

entrebâiller ouvrir un peu

entrecouper interrompre

entrée* *f.* porte par laquelle on entre; action d'entrer

entrefilet *m.* petit article de journal

entrelacer enlacer l'un dans l'autre. Ex. Les amoureux regardent la lune, les mains entrelacées.

entreprise* *f.* service public; affaire qu'on entreprend

entrer aller dans un endroit; **—dans le détail** faire une explication complète; **—en conversation** commencer une conversation; **—en relations avec quelqu'un** faire la connaissance de quelqu'un pour faire quelque chose ensemble

entre-temps *m.* dans l'intervalle de temps

entretien *m.* conversation

entrevue *f.* rencontre pour parler

entrouvrir ouvrir un peu

envahir pénétrer, entrer dans

envelopper* mettre autour, couvrir avec.

Ex. Le boucher enveloppe la viande dans du papier.
envers auprès de, en ce qui concerne
envie *f.* désir
environs* *m. pl.* alentours, lieux qui entourent
envoyer faire aller, expédier; **—promener** dire à quelqu'un de s'en aller
épais †mince. Ex. Une page de livre est mince mais un dictionnaire est épais.
épaisseur *f.* état de ce qui est épais
épargner mettre de côté (de l'argent, etc.)
éparpiller disperser; **s'—** se disperser
épars dispersé
épaule *f.* partie du corps qui attache le bras au corps
éperdu plein d'une vive émotion
épice *f.* substance aromatique. Ex. Le poivre, le gingembre et la vanille sont des épices.
épicerie *f.* magasin où l'on vend des épices, des légumes, du vin, du café, du sucre, etc.
épingle *f.* petite tige métallique dont un bout est pointu. Ex. Je fixe la photo au mur avec une épingle.
épistolaire relatif à la correspondance
éponge* *f.*, **main—** petit linge de tissu spongieux avec lequel on se lave
époque* *f.* période
épouse *f.* femme mariée
épouser se marier avec
épouvantable terrible, affreux. Ex. Cette vieille Ford fait un bruit épouvantable.
épouvante *f.* terreur
épouvanter terrifier
époux *m.* mari; *m. pl.* un couple
épreuve *f.* expérience, essai; **mettre à l'—** éprouver, essayer pour voir la qualité; malheur
éprouver sentir. Ex. J'éprouve de la tristesse quand les vacances sont terminées.
épuiser affaiblir, fatiguer
équilibre* *m.* Ex. L'enfant perd son équilibre et tombe.
errer marcher sans but
erreur* *f.* jugement incorrect
érudition* *f.* science
escabeau *m.* sorte de petite échelle dont on se sert pour prendre des objets haut placés
escalier *m.* série de marches pour monter d'un étage à l'autre dans une maison
espace* *m.* étendue, infinie. Ex. Les astronautes explorent l'espace.
espérer penser que quelque chose d'heureux va arriver. Ex. J'espère que vous comprenez.
espion* *m.* homme qui cherche les secrets de l'ennemi
esprit* m. souffle vital, âme; **reprendre ses—s** maîtriser ses émotions
essayer tenter; employer une chose pour voir si elle est bonne. Ex. Il essaie cette auto pendant 4 jours; si elle est bonne, il va l'acheter.
essouffler mettre hors de souffle. Ex. Après la course le coureur est essoufflé.
est *m.* un des quatre points cardinaux. Ex. Le soleil se lève à l'est.
estimer* penser du bien de quelqu'un; évaluer
estrade *f.* plancher surélevé
estuaire* *m.* partie d'un fleuve envahie par la mer
et (conjonction qui unit deux choses égales) Ex. Elle est jeune et belle.
établir* poser, faire
établissement *m.* maison de commerce; **—de crédit** banque qui prête de l'argent (pour construire une maison, etc.)
étage *m.* partie d'une maison entre deux planchers. Ex. Toutes les chambres qui ont la même hauteur sont à un étage.
étagère *f.* planche de bois fixée au mur (pour les livres, etc.)
étaler étendre sur une surface; **s'—** s'étendre de tout son long
état *m.* manière d'être; nation organisée. Ex. Hawaii est le 50e état des États-Unis.
été *m.* saison chaude
éteignit (p. simp. de **éteindre**)
éteindre arrêter, †allumer
éteint (part. passé de **éteindre**)
étendre coucher; déployer en long et en large; allonger; **s'—** se coucher

étendu couché; coupé
étendue *f.* surface
étoffe *f.* tissu. Ex. Les vêtements sont faits d'étoffe de coton, de satin, de nylon, de laine etc.
étoile *f.* astre fixe qui brille par sa propre lumière. Ex. La nuit les étoiles brillent dans le ciel.
étonnant surprenant, remarquable
étonnement *m.* surprise
étonner mettre dans une grande surprise. Ex. Je suis étonné de voir de la neige en juin; cela n'arrive jamais; **s'—** être étonné
étouffer faire perdre la respiration; affaiblir, faire disparaître. Ex. La neige étouffe le bruit d'un homme qui marche.
étourdi *m.* personne qui agit sans réfléchir
étrange* extraordinaire
étrangement d'une manière bizarre, étrange
être *m.* personne
être (*v.*) exister. Ex. Hamlet: «Être ou ne pas être, voilà la question.»; **—à** appartenir à. Ex. Ce disque est à moi.; **s'en—** s'en aller, partir; **—du goût de quelqu'un** plaire à quelqu'un; **ça m'est égal** cela ne fait pas de différence; **—au courant** être informé; **—au point** être parfait; **—de passage** rester quelque temps; **n'y—pour rien** ne jouer aucun rôle
étroit qui n'est pas large; strict
étude *f.* action d'étudier, d'apprendre
étudier aller à l'école; apprendre
étui *m.* boîte dans laquelle on garde un objet
eurent (p. simp. de **avoir**)
européen* d'Europe
eut (p. simp. de **avoir**)
eût (*impf.* du subj. de **avoir**)
évader, s'— s'échapper. Ex. Personne ne s'est évadé de la prison d'Alcatraz.
événement *m.* chose importante qui se passe ou s'est passé
éventail *m.* objet léger et plat qu'on emploie pour faire circuler l'air
éventuellement# peut-être, après un certain temps
évidemment* sans aucun doute
éviter ne pas faire. Ex. Il évite de dépenser son argent; il est économe.
évoquer* rappeler au souvenir
exaltant qui glorifie, qui enthousiasme
exalté# enthousiaste, très excité
examen *m.* Ex. A la fin de l'année il y aura des examens.
examiner* regarder de très près
exceptionnellement par exception
exemple* *m.* Ex. Un exemple de multiplication est 2 x 4 = 8.
exercer faire travailler; **—la médecine** pratiquer la médecine
expérience# *f.* le fait d'essayer, d'expérimenter
expliquer* donner des explications
exposer* montrer
exprès à dessein, intentionnellement
exprimer mettre en paroles

F

fabriquer* faire
face*, en—de de l'autre côté, du côté opposé; **regarder en—** regarder fixement
facette* *f.* côté
fâcher, se— se mettre en colère, devenir furieux
facile* aisé, qui se fait sans peine, †difficile. Ex. Il est facile de parler français. quand on est Français.
facilement sans aucune difficulté
façon* *f.* manière. Ex. Sa façon de parler est très claire.
fac-similé* *m.* reproduction, copie
facteur *m.* employé de la poste qui apporte les lettres
fagot *m.* ensemble de petites branches. Ex. Il ramasse des fagots pour allumer son feu.
faible pas grand; †fort
faiblement sans force
faïence *f.* poterie de terre vernissée
faillir être sur le point de faire, près de. Ex. Il a failli mourir quand le docteur l'a opéré.

faim *f.* besoin de manger
faire accomplir; créer; former; produire une chose; commettre une action; marcher; dire; **—mal** causer de la douleur. Ex. Quand je me casse la jambe, elle me fait mal.; **—mine** faire semblant; **—peur** inspirer de la peur; **—sa toilette** se laver et s'habiller; **se—prendre** se laisser prendre; **s'en—** s'inquiéter, avoir peur
fait *m.* chose donnée comme vraie; **—divers** *m.* petit article de journal relatant un accident, un crime; **en—** en vérité; **tout à—** entièrement
falloir être nécessaire
fanfaronner se vanter, se louer beaucoup
fantaisiste capricieux, changeant
farine *f.* grain en poudre dont on fait le pain
farouche sauvage
fasciner* charmer, éblouir
fat prétentieux
fatigue* *f.* Ex. La fatigue est causée par un travail prolongé.
fatiguer* Ex. Le professeur fatigue la classe avec ses exercices; la classe est fatiguée (le professeur aussi!)
faubourg *m.* partie d'une ville située hors du centre
fauché (*fam.*) sans argent
faute *f.* ce qui n'est pas correct. Ex. Vous avez beaucoup de fautes de grammaire.
fauteuil *m.* chaise avec des bras
faux (*f.* **fausse**) incorrect; **faire fausse route** aller dans la mauvaise direction; **—frère** traître
feindre faire semblant, simuler
fêler fendre légèrement. Ex. La cloche de la Liberté à Philadelphie est fêlée.; **être fêlé** être un peu fou
femme *f.* Ex. Adam est le mari d'Eve: elle est sa femme.; **—de chambre** domestique chargée du service intérieur d'une maison
fendre casser dans le sens de la longueur. Ex. Il fendit le bois avec sa hache.; traverser
fenêtre *f.* ouverture dans un mur pour donner de la lumière et de l'air
fente *f.* trou en long. Ex. Une boîte à lettres a une fente (pour mettre les lettres à l'intérieur de la boîte).
féodal* de l'époque médiévale
fer *m.* métal très commun. Ex. Le radiateur est en fer.; *m. pl.* chaînes
ferme *f.* maison entourée de champs où le fermier cultive ses produits
ferme (*adj.*) solide, qui ne change pas
fermer Ex. Fermez la porte!; **se—** Ex. Le ciel se ferme quand il se couvre de nuages.
fermeture *f.* façon de fermer; mécanisme avec lequel on ferme
féroce* Ex. Le tigre est féroce! Attention!
fête* *f.* réunion où l'on s'amuse
feu *m.* combustion de papier ou de bois en général; **coup de—** bruit que fait un fusil quand on tire
feuillage *m.* ensemble des feuilles d'un arbre
feuille *f.* page d'un livre, morceau de papier; partie verte et plate au bout des branches d'un arbre ou d'une plante
feuilleter lire à la hâte, tourner les feuilles rapidement
feutre *m.* étoffe de laine souvent employée pour faire les chapeaux
fiche *f.* petite feuille
ficher (*fam.*) mettre; **—la paix** laisser en paix
fichu (*pop.*) perdu
fier qui a des sentiments nobles. Ex. Si vous êtes patriotique, vous êtes fier de votre pays.
fièrement d'une manière fière
fierté *f.* caractère de ce qui est fier. Ex. L'écrivain qui reçoit le prix Nobel est plein de fierté.
fièvre* *f.* maladie accompagnée d'une haute température
fiévreusement* d'une manière fiévreuse
fiévreux qui a de la fièvre
figer congeler; rendre incapable de bouger, paralyser (à cause du froid)
figure# *f.* visage (partie de la tête); **changer de—** changer d'expression
figurer imaginer
filer partir vite

fille *f.* enfant du sexe féminin
fils *m.* enfant du sexe masculin
filtrer* laisser passer
fin *f.* †commencement; **à seule—de** pour la seule raison de
fin (*adj.*) délicat
finaud fin, rusé
finement d'une manière délicate
finir terminer, arriver à la fin; **n'en plus—** ne pas avoir de fin
fis (p. simp. de **faire**)
fit (p. simp. de **faire**)
fixement* avec fixité
fixer# attacher; regarder intensément; **il serait vite fixé** il saurait vite
flairer sentir. Ex. Le chien flaire le lapin et le poursuit.
flamber brûler, passer à la flamme; **flambant neuf** tout à fait neuf
flanc* *m.* côté
flaque *f.* petite mare, petite quantité d'eau accumulée dans une cavité
flasque sans force
flatterie* *f.* compliment
fléchir attendrir, rendre clément
fleur *f.* Ex. La rose, la tulipe et le lys sont des fleurs.
fleurir orner de fleurs
fleuve *m.* grande rivière qui se jette dans la mer. Ex. La Seine est le fleuve qui arrose Paris.
flic *m.* (*pop.*) agent de police
floconneux qui ressemble à des flocons de neige
flotter* être porté par un liquide
foi *f.* ce qu'on croit. Ex. Il a la foi; il croit en Dieu.; **ma—** (exclamation) eh bien!
fois *f.* (marque la quantité) Ex. Allez-vous en classe de français quatre fois ou cinq fois par semaine?; **à la—** en même temps
folie *f.* maladie de l'esprit; extravagance, imprudence
foncé sombre. Ex. Le bleu du ciel devient toujours plus foncé le soir.
fonctionnaire *m.* employé qui remplit une fonction publique
fonctionner* marcher
fond *m.* en bas, tout en bas; à l'arrière, †devant. Ex. Les élèves paresseux aiment rester au fond de la classe.; au cœur même
fondre devenir liquide. Ex. La glace fond et devient de l'eau.
force* *f.* puissance, vigueur
forêt *f.* groupe d'arbres
formidable* qui fait peur; extraordinaire, de très grande qualité
fort très; intelligent; †faible
fouiller chercher
foulard *m.* mouchoir qu'on porte au cou
foule *f.* grande quantité de personnes
fourbi *m.* ensemble d'objets
fourbu fatigué à l'extrême
fourchette *f.* ustensile dont on se sert à table pour porter la viande, les légumes, etc. à la bouche
fourneau *m.* ustensile contenant du feu et servant à chauffer. Ex. Maman prépare le repas sur le fourneau.
fournir* donner
fourré *m.* endroit où la végétation est très dense
fourrer mettre dans
fous (*pop.*) (prés. de **foutre**)
foutre, se—de (*pop.*) se moquer de
foyer *m.* maison; famille
fracasser briser avec force et avec bruit. Ex. La balle a fracassé la fenêtre.
fracturer* casser
frais (*f.* **fraîche**) légèrement froid. Ex. En automne il fait frais.
frais *m. pl.* dépenses; **aux—de la Couronne** c'est le gouvernement anglais qui paie
franc (*f.* **franche**) sincère; pur
français *m.* langue qu'on parle en France
français (*adj.*) de France
Français *m.* homme de France
franchir traverser
frange *f.* ornement de fils qui pendent des extrémités d'une étoffe; bord
franger, se—de bleu devenir bleu sur les bords
frapper battre; attirer l'attention
frère *m.* Ex. Deux garçons de la même famille sont des frères.
friable qu'on peut pulvériser, mettre en poudre

frigidaire *m.* réfrigérateur
friser être sur le point de devenir; être près d'atteindre. **Ça frise l'insolence.** C'est presque de l'insolence.
frisson *m.* vent; tremblement causé par le froid, la peur, etc.
frissonner trembler de froid ou de peur
froc *m.* vêtement de moine
froid *m.* température basse
froid (*adj.*) d'une température basse, †chaud; calme; **faire—** Ex. Il fait froid en hiver.
froidement avec froideur, sans chaleur
froisser mettre en balle. Ex. L'élève a froissé son mauvais examen avant de le jeter dans la corbeille.
fromage *m.* aliment fait de lait fermenté. Ex. Le camembert, le roquefort sont des fromages.
froncer contracter, rider, faire des plis
front# *m.* partie de la tête entre les yeux et les cheveux
frontière* *f.* limite d'un pays
frottement *m.* mouvement d'un corps en contact avec un autre, friction
frotter passer plusieurs fois la main, un chiffon, etc. sur un objet
frousse *f.* (*fam.*) peur
fugitif* *m.* celui qui fuit
fuir s'en aller loin du danger et de tout ce qu'on craint
fumer brûler du tabac en aspirant la fumée. Ex. Je fume un cigare.; produire une vapeur. Ex. Les toits fument au soleil après la pluie.
fûmes (p. simp. de **être**)
furent (p. simp. de **être**)
fureter chercher, fouiller
fureteur qui cherche partout
fureur* *f.* colère extrême
furieusement* d'une manière furieuse, avec furie
furieux* Ex. Ton père est furieux quand tu as un accident avec son automobile.
furtif* qui ne veut pas être vu
fusil *m.* arme à feu
fusillade *f.* décharge de fusils (pour tuer un homme)
fût (*impf.* du subj. de **être**)
futé rusé, fin
fûtes (p. simp. de **être**)

G

gabardine* *f.* imperméable
gagner recevoir de l'argent pour un travail; envahir, pénétrer
gai* joyeux
gaieté* *f.* qualité d'être gai
gaillard *m.* homme fort
galerie* *f.* large passage
galet *m.* caillou rond, poli par l'action de la mer
galette *f.* sorte de gâteau plat
galopin *m.* garçon mal élevé
gamin *m.* petit enfant
gamine *f.* petite enfant
ganter mettre des gants
garçon *m.* enfant mâle; jeune homme; **—matraqueur** jeune homme qui frappe avec une matraque (bâton)
garçonnet *m.* petit garçon
garde *f.*, **poste de—** gardien
garder* ne pas rendre; ne pas perdre; surveiller; maintenir, ne pas changer; **—le silence** ne pas dire un mot; **se—** faire attention de ne pas
gardien* *m.* homme qui garde; **—de la paix** agent de police
gare *f.* lieu où s'arrêtent les trains. Ex. Grand Central à New York.
gars *m.* (*pop.*) jeune homme
gascon de Gascogne, ancienne province du sud-ouest de la France
gâteau *m.* pâtisserie. Ex. Le jour de mon anniversaire ma mère fait un gâteau.
gâter traiter avec une bonté excessive. Ex. Sa mère lui donne tout: c'est un enfant gâté.
gauche †droite; maladroit. Ex. Elle était si gauche qu'elle a laissé tomber la tasse.
gazon *m.* herbe courte
geignard qui gémit souvent, qui se plaint
geindre gémir, se plaindre
geler avoir ou devenir extrêmement froid. Ex. L'eau gèle à 32°F.
gémir exprimer la douleur par des sons plaintifs

gendarme *m.* militaire qui assure la sécurité publique. Ex. Les agents de police assurent la sécurité publique dans les villes, alors que les gendarmes l'assurent dans les villages.

gêner rendre les mouvements peu faciles, embarrasser; rendre la vie difficile. Ex. Cette question gêne l'élève car il ne sait pas la réponse.; **se—** se donner la peine; avoir des scrupules

général* (*adj.*) universel; **quartiers généraux** lieu où se réunissent les officiers pour diriger les opérations militaires

généralement en général

génial# qui a du génie

génie* *m.* homme qui a des qualités très grandes et très rares; **officier de—** officier s'occupant des fortifications, des ponts, etc.

genou *m.* partie du corps où la jambe se plie

genre *m.* sorte

gens *m. pl.* personnes; **jeunes—** jeunes hommes ou garçons

geste* *m.* mouvement qu'on fait avec le bras ou la main

gifler frapper la joue avec la main ouverte

gilet *m.* petit vêtement sans manches

glace *f.* miroir

glacé qui est froid comme la glace; qui a grand froid

glacial très froid (comme la glace)

glapir crier d'une voix aiguë

glisser passer rapidement et légèrement. Ex. Les skis glissent sur la neige.; **se—** entrer sans être vu, avec de grandes précautions

glouton* *m.* celui qui mange beaucoup

gonfler faire devenir plus gros, augmenter le volume

gorge *f.* partie de devant du cou. Ex. Elle ne chante pas car elle a mal à la gorge.

gorgée *f.* ce qu'on peut boire en une seule fois

gouailler railler, se moquer

goulot *m.* col, bouche

gourde *f.* flacon où l'on met un liquide

goût *m.*, **être du—de quelqu'un** plaire à quelqu'un

goûter manger ou boire avec soin pour discerner la qualité

goutte *f.* petite partie sphérique d'un liquide. Ex. Les gouttes de pluie

gouvernante *f.* femme chargée de l'éducation d'un enfant

grâce *f.* faveur; **—à** à cause de

grand qui occupe beaucoup de place; important, †petit

grandir devenir plus grand

gratter enlever la surface; frotter avec les ongles. Ex. Le chien se gratte car il a des puces.

gratuit qui ne coûte rien

gratuitement d'une manière gratuite, qui ne coûte rien

grave* sérieux

gravir monter avec effort

gravité* *f.* caractère de ce qui est sérieux

grelot *m.* sorte de petite cloche ronde

grignoter manger en rongeant. Ex. La souris grignote le fromage; détruire lentement

grille* *f.* protection métallique

grillon *m.* insecte sauteur qui fait un bruit strident

grimacer* faire une grimace, une contorsion du visage

grimper monter en employant les mains et les pieds

gris couleur résultant du blanc et du noir mêlés; **—fer** couleur grise du fer

grondement *m.* action de murmurer avec colère

gronder murmurer avec colère

gros large, grand; **une grosse situation** un poste important et bien payé

grossier simple, pas compliqué; qui n'a pas de finesse, de délicatesse

grossir devenir plus gros

grouper*, se— faire des groupes

gué *m.* endroit où l'on peut passer la rivière sans nager

guère ne...— peu, à peine

guérir rendre la bonne santé. Ex. L'aspirine guérit souvent les maux de tête.

guerre *f.* hostilités entre deux peuples. Ex. La guerre de Cent Ans; **conseil de—** assemblée qui délibère et qui rend la

justice militaire
guet-apens *m.* piège, lieu où l'on attend sa victime
guetter regarder pour attraper, regarder attentivement
guise *f.* manière; **en—de** à la place de

H

habile intelligent; adroit
habilement avec habileté, avec talent
habiller mettre les vêtements à quelqu'un
habitant *m.* personne qui habite un lieu
habiter Ex. Il habite une grande maison.
habitude *f.* façon d'être ordinaire. Ex. Les mauvaises habitudes sont difficiles à corriger.
habituellement* de manière habituelle
habituer accoutumer; **s'—** s'accoutumer
haillonneux couvert de vêtements si vieux qu'ils sont en morceaux
haine *f.* †amour
halètement *m.* action de respirer rapidement (après un effort)
haleter respirer avec oppression
hanche *f.* partie du corps où les jambes se joignent au tronc
hasard# *m.* chance; **au—** sans précision
hâte *f.* empressement, désir d'aller vite
hâter, se— se presser, aller vite
haussement *m.* action de lever, mouvement vers le haut
hausser lever un peu, mettre plus haut
haut élevé, †bas; fort; **du—en bas** partout, d'un extrême à l'autre; **en—** qui vient de la direction du ciel; **plus—** avant (dans cette lettre)
hauteur *f.* altitude, distance du haut en bas
hebdomadaire une fois par semaine
hein (exclamation) compris? comment?
hérisser dresser les cheveux ou les poils. Ex. Le chien a le poil hérissé quand il a peur.
héritage* *m.* tout ce qu'on reçoit de quelqu'un quand il meurt; **oncles à—** oncles dont on espère hériter la fortune
hériter Ex. Le fils hérite l'argent de son père mort.
héritier *m.* personne qui hérite
heure *f.* 60 minutes; le temps; **de bonne—** tôt. Ex. Il se lève toujours de bonne heure.; **à l'—de** au moment de; **tout à l'—** bientôt
heureusement de façon heureuse; **—que** il est heureux que
heureux content
heurter frapper brusquement, choquer rudement
hibou *m.* grand oiseau de proie nocturne dont les plumes forment des sortes de cornes au-dessus des yeux
hier le jour avant aujourd'hui
hisser élever avec effort; **se—** s'élever avec effort
histoire* *f.* récit, aventure racontée
historique* de l'histoire, qui a véritablement vécu
hiver *m.* saison de décembre à mars
hocher Ex. Vous hochez la tête quand vous dites: «non».
homicide* meurtrier
hommage* *m.* marque de respect
homme *m.* Ex. Adam est le premier homme.
honnêteté *f.* état d'être honnête
honorée# *f.* lettre honorée, estimée
honte *f.* sentiment de s'être mal conduit. Ex. Ce bon élève a honte de ce «D».
honteux qui éprouve de la honte, qui n'est pas fier de ses actions. Ex. L'élève rougit quand il est honteux.
horaire *m.* emploi du temps; tableau indiquant les heures de départ et d'arrivée du train, etc.
horreur*, avoir—de haïr, détester
hors, —de en dehors de, sauf, excepté; **—de lui** très en colère, furieux
hôte *m.* celui qui donne l'hospitalité et celui qui la reçoit
hôtel* *m.* grande maison élégante dans une ville; maison destinée à un service public. Ex. Le Ritz est un hôtel célèbre.
huile *f.* Ex. On met de l'huile d'olive dans la salade.
huiler mettre de l'huile; **mouvement huilé** mouvement souple, facile
hululement *m.* cri d'un oiseau nocturne
humecter rendre humide

humeur* *f.* disposition; esprit
humilier* rendre humble, abaisser
humoristique* amusant
hypothèse* *f.* supposition

I

ici †absent; place qu'on occupe à l'instant; **d'—El Ameur** entre ici et El Ameur; **d'—demain** entre maintenant et demain
idée* *f.* notion, pensée
ignorer# ne pas savoir
illuminer* éclairer vivement
illustrer# rendre célèbre
îlot *m.* petite île
il y a depuis; il existe
imbécile* stupide, bête
immédiatement* tout de suite
immeuble *m.* grand bâtiment
impardonnable* qu'on ne peut pas excuser
impérieux qui commande
impitoyable sans pitié
implacable* qui ne peut être apaisé
importer* avoir de l'importance; **n'importe qui** tout le monde. Ex. N'importe qui sait que la neige est froide.
imposte *f.* petite fenêtre au-dessus d'une porte
impressionner* frapper, faire une forte impression
imprévu ce qu'on n'attend pas, inattendu
impuissance *f.* manque de force, de puissance
impuissant sans force, incapable de faire quelque chose
inaccoutumé non habituel
inaltérable* sans changement
inanimé* sans vie
incarcération* *f.* emprisonnement
incessant* sans cesse
incliner*, s'— mettre le corps en avant. Ex. Quand un homme dit: «au revoir» à une dame, il s'incline devant elle.
incommoder gêner. Ex. Elle est incommodée par la fumée de mon cigare.
inconnu †connu
inconsciemment sans effort conscient
incorporer* ajouter, mettre avec
incrédulité* *f.* manque de foi
indécis* incertain
indéfinissable qu'on ne peut pas définir
indemnité* *f.* compensation
indice *m.* signe qui indique
indicible qu'on ne saurait dire, inexprimable
indigne d'une qualité morale inférieure, †digne
indiquer* montrer
individu* *m.* homme non identifié
induire mettre
industriel *m.* fabricant. Ex. Carnegie, Ford et DuPont sont trois industriels célèbres.
inexplicable* sans explication
infiniment* très
infirme *m.* personne privée de l'usage d'un membre, malade
influencer* exercer une influence sur
informe# sans forme
ingénieux* fertile en ressources
ingrat qui ne montre pas de gratitude, †reconnaissant
inimaginable* qu'on ne peut imaginer
inimitié *f.* antipathie, hostilité
initial* premier
initiale* *f.* première lettre d'un mot
injure# *f.* insulte
injustement* sans justice
inlassable infatigable
innommable sans nom; dégoûtant, sale
inonder couvrir d'eau; couvrir
inquiet (*f.* **inquiète**) anxieux, alarmé, appréhensif
inquiéter rendre anxieux, mal à l'aise
inquiétude *f.* malaise, appréhension
inquisiteur* *m.* celui qui pose des questions
insaisissable qu'on ne peut pas prendre, saisir
insatisfait* †satisfait
inscrire, s'— écrire son nom sur
insolite inhabituel
inspecteur *m.* agent de police qui ne porte pas l'uniforme
installer* mettre en place; **s'—** se mettre, s'asseoir

instituteur *m.* (*f.* **institutrice**) maître d'école

instruction* *f.* ordre, préparation d'une affaire criminelle avant le jugement

insu, à l'—de sans qu'on le sache

interdit incapable de parler

intéressant* qui intéresse

intéresser exciter, stimuler

Intérieur *m.* administration centrale qui dirige tout le pays

intérieurement à l'intérieur

interpeller appeler pour demander quelque chose

interroger* poser des questions

interrompre faire une interruption; **s'—** rompre la continuité pour faire autre chose, s'arrêter

intervenir* interposer son autorité

intime* profond; **ami—** ami qu'on aime beaucoup

intimider* donner de la crainte

intriguer* intéresser

introduire# faire entrer, **s'—** entrer, pénétrer

inutile qui ne sert à rien, †utile

invectiver dire des choses injurieuses

inviter*, se faire— être invité, faire en sorte qu'on soit invité

involontaire* qu'on n'a pas l'intention de faire, †volontaire

ironie* *f.* raillerie; chose contraire aux désirs de quelqu'un

ironique* moqueur

ironiser faire de l'ironie

irrémédiablement* sans remède, sans espoir

irruption *f.* **faire—** apparaître soudainement

isoler* séparer des autres

issue# *f.* lieu par où l'on sort. Ex. La porte est la seule issue de cette pièce.; moyen de sortir de l'embarras

ivrogne *m.* homme qui boit trop

J

jaillir sortir impétueusement. Ex. La source d'eau jaillit.

jamais †toujours. Ex. Ce garçon n'est jamais préparé pour la classe!; **plus—** pas une seule fois après cela

japper aboyer (d'un petit chien)

jardin *m.* endroit où l'on cultive des légumes ou des fleurs. Ex. Dieu chassa Adam et Eve du jardin d'Eden.

jardinier *m.* homme qui s'occupe du jardin

jaser critiquer, médire, bavarder

jaune couleur du soleil

jet* *m.* jaillissement. Ex. Un jet d'eau sort de cette fontaine.

jeter lancer, faire passer en l'air. Ex. Nous jetons la balle.; **—un coup d'oeil** regarder un instant; **—un regard** regarder un instant; **se—** se lancer, courir sur

jeu *m.* Ex. Le football, le tennis et le poker sont des jeux.; **avoir un—** avoir de bonnes cartes dans la main

jeune †vieux

joie* *f.* plaisir vif

joignit (p. simp. de **joindre**)

joindre* mettre ensemble, attacher

joint lié, attaché

joli qui fait plaisir à voir

joliment de façon jolie; bien

joue *f.* partie du visage entre le nez et l'oreille. Ex. Elle a les joues roses en hiver.

jouer faire ce qu'on aime faire. Ex. On joue aux cartes, du piano, etc.; **—le rôle** être un certain personnage dans une pièce; **faire—la serrure** faire ouvrir la serrure

joueur *m.* celui qui joue; **être beau—** savoir perdre (au jeu, etc.) avec le sourire

jour *m.* 24 heures; **du—au lendemain** d'un jour à l'autre, soudainement; **en plein—** au milieu du jour; **le petit—** à la lumière du jour, la première lumière du jour

journal *m.* Ex. Le *New York Times*, *Paris-Presse* sont des journaux.

journée *f.* durée d'un jour

joyeux* gai, heureux

juge *m.* magistrat qui juge; **—d'instruction** magistrat qui fait des enquêtes, qui fait arrêter les criminels et qui prépare les affaires criminelles

juger* Ex. Le jury juge les actions du criminel.

juré *m.* personne qui juge un criminel, membre d'un jury

jurer promettre. Ex. L'accusé jure de dire toute la vérité et rien que la vérité.

juron *m.* **dire un—** blasphémer

jusque (marque la limite d'une action) Ex. Nous travaillons jusqu'à midi.

jusqu'à ce que jusqu'au moment où

juste* exact

justement exactement, précisément

justicier *m.* qui fait régner la justice

K

kilomètre* *m.* mesure de distance (5/8 d'un mille)

Kodak* *m.* appareil photographique

L

là (indique un endroit plus loin) †ici; (expression employée pour calmer quelqu'un) Ex. Là! Ne pleurez plus!; **là-bas** loin, au loin; **là-dessus** à ce moment; **là-haut** dans la chambre en haut

laborieux travailleur

laborieusement avec effort

labourer# travailler, retourner la terre. Ex. Le fermier laboure la terre avec une charrue.

lac* *m.* Ex. Chicago est au bord du lac Michigan.

lâcher abandonner, laisser tomber

laine *f.* tissu fait du poil des moutons. Ex. Les vêtements d'hiver sont souvent faits de laine car elle garde bien la chaleur.; **grosse—grège** laine qui n'est pas très fine

laisser permettre, ne pas empêcher de faire une action; ne pas prendre; quitter; **—en réserve** garder une provision supplémentaire pour les cas de besoin

lait *m.* liquide blanc que donnent les femelles des animaux pour les petits

lame *f.* partie coupante d'un couteau

lancer jeter

lanière *f.* bande d'étoffe, de cuir, etc. longue et étroite

lanterne *f.*, **—électrique** lampe que l'on porte à la main

lapin *m.* petit animal de la famille des rongeurs. Ex. Le lapin de Pâques apporte des œufs en chocolat.

larcin *m.* petit vol

large# †étroit. Ex. La porte n'est pas assez large pour laisser passer l'auto.

larme *f.* liquide qui coule des yeux. Ex. Quand on pleure, les larmes tombent des yeux.

las (*f.* **lasse**) fatigué

lavabo *m.* petit bassin où l'on se lave les mains (dans la salle de bain)

lecture# *f.* action de lire; chose lue

léger pas profond, †lourd

légèrement un peu

légèreté *f.* qualité de ce qui n'est pas sérieux

légume *m.* Ex. Les carottes, les oignons, les pommes de terre sont des légumes.

lendemain *m.* jour après un jour mentionné

lentement †vite. Ex. La tortue marche lentement mais le lièvre court vite.

lenteur *f.* †vitesse

lettre* *f.* Ex. Il y a 26 lettres dans l'alphabet.; épître; **—recommandée** le bureau de poste garantit de mettre la lettre dans la main de la personne à qui elle est adressée

lever *m.* moment où l'on se lève

lever (*v.*) mettre en l'air. Ex. L'élève lève la main pour répondre.; **se—** se mettre plus haut. Ex. Lève-toi quand on te parle!

lèvre *f.* bord de la bouche

liasse *f.* paquet de papiers liés ensemble

libre en liberté. Ex. En prison, je ne suis pas libre.

lien *m.* ce qui sert à attacher

lier attacher (avec une corde, etc.); être ami

lieu *m.* endroit; **au—de** à la place de; **avoir—** arriver, se passer. Ex. La foire a lieu devant l'église.

linge *m.* Ex. On lave le linge sale (les draps, les serviettes, les chemises, les mouchoirs, etc.) dans une machine à laver.

lire Ex. Vous lisez ce livre.
lisière *f.* bord de forêt
lisse uni et poli, qui n'a aucun relief
lit *m.* meuble sur lequel on dort
lit (prés. de **lire**)
litre* *m.* unité de capacité pour les liquides (1 litre = 0.90 quart*)
littéraire* qui traite de la littérature
littéralement* au sens littéral
livide* de couleur bleuâtre
livre *f.* mesure de poids (500 grammes); unité de monnaie anglaise
livre *m.* Ex. Un dictionnaire est un livre.
livrer donner; remettre; remettre à la justice
local *m.* lieu
logement *m.* lieu où l'on loge
loger, se— habiter; pénétrer
logique* Ex. Par un raisonnement logique on arrive à la vérité.
loi *f.* Ex. «Ouvrez la porte, au nom de la loi!»
loin †près; **de—en—** à de grands intervalles; **au—** à une grande distance
loisir *m.* période où l'on ne travaille pas
long *m.* longueur
long* (*f.* **longue**) (*adj.*) †court; **le—de** sur les bords de
longer aller le long de
longtemps pendant un long temps
longuement longtemps
loquet *m.* barre mobile qui sert à fermer la porte
lorsque quand
lotissement *m.* terrain, emplacement
louer prendre une maison, un appartement, etc. en payant le propriétaire
lourd †léger. Ex. Le papier est léger mais la table est lourde.
lourdement d'une manière lourde, pesante. Ex. Il marche lourdement car il est très fatigué.
loyal sincère, franc
lucidité* *f.* clarté
lucratif* (*f.* **lucrative**) qui rapporte de l'argent
lueur *f.* lumière faible
luire briller; réfléchir la lumière
lumière *f.* ce qui éclaire. Ex. La lumière du soleil est reflétée par la lune.
lumineux* qui a de la lumière
lune *f.* planète satellite de la terre
lunettes *f. pl.* verres qui permettent de mieux voir. Ex. Grand-père a besoin de lunettes pour lire.; **—noires** verres qui protègent les yeux du soleil
lut (p. simp. de **lire**)
lutte *f.* combat, bataille, action de se battre
luxe* *m.* Ex. Cette auto est un modèle de luxe.
luxueux plein de luxe

M

machinal comme une machine
machinalement* comme une machine
magot *m.* (*fam.*) trésor
maigre †gros. Ex. Celui qui mange peu est souvent maigre.
maigriot assez maigre
maigrir devenir maigre
main *f.* Ex. On écrit avec la main droite ou avec la main gauche.; **—éponge** petit linge de tissu spongieux avec lequel on se lave; **se faire la—sur** apprendre un certain art; **avoir la—sur** commander
maint beaucoup de
maintenant à ce moment
maintenir faire continuer dans un certain état
mais (conj. qui marque l'opposition) Ex. Il fait froid mais il fait beau.
maison *f.* Ex. La maison a quatre murs et un toit.; compagnie; **—de santé** maison de fous
maître* *m.* chef; instituteur
mal *m.* (pl. **maux**) difficulté; maladie; douleur, ce qui est pénible. Ex. Il souffre souvent de maux de tête.; **faire—** causer de la douleur. Ex. Cet homme fait mal à ce garçon: il le bat.
mal (*adv.*) †bien. Ex. Parce qu'il est stupide, il comprend mal ce que le professeur lui dit.
malade *m.* personne malade
malade (*adj.*) en mauvaise santé

maladie* *f.* chose de laquelle on souffre. Ex. La pneumonie et la grippe sont des maladies.
maladif sujet à être malade
maladresse *f.* manque d'habileté, manque de dextérité
maladroit gauche, qui manque d'adresse
malaise *m.* trouble physique. Ex. La femme a été prise de malaise dans la salle trop chaude.
malchanceux qui n'a pas de chance
malgré en dépit de, contre l'opinion de
malhabile gauche, †habile
malheur *m.* mauvaise chance, désastre, †bonheur
malheureusement d'une façon malheureuse, †heureusement
malheureux *m.* personne malheureuse, personne qui n'a pas de chance
malheureux (*adj.*) †content
malle *f.* grande valise
mallette *f.* petite malle, valise
malpropre sale, †propre
malsain mauvais pour la santé, †sain. Ex. Un climat tropical peut être très malsain.
manche *f.* partie de vêtement qui couvre les bras; **passer les—s** mettre les bras dans les manches
mander faire venir; faire dire
manège *m.* actions, conduite
manger Ex. Il mange un sandwich à midi.
manière *f.* façon de faire quelque chose. Ex. Elle mange d'une manière élégante.
manifeste* évident
manifester*, se— se montrer
manquer ne pas avoir; ne pas être là; faillir; faire défaut à. Ex. Le pain leur manque: ils n'ont pas de pain.; **Il n'y manque pas.** Il le fait.
manteau *m.* vêtement qu'on porte au-dessus des autres vêtements quand il fait froid
maquiller couvrir; farder le visage. Ex. Ce jeune acteur se maquille pour jouer le rôle d'un vieillard.
marauder voler des fruits, des légumes
maraudeur* *m.* voleur de fruits, de légumes
marbre* *m.* pierre souvent employée pour les monuments et les pierres tombales
marchander faire le marché, essayer d'obtenir quelque chose à un meilleur prix
marche *f.* distance à faire à pied; degré qu'on monte. Ex. Cet escalier a 20 marches.
marcher# aller à pied; fonctionner. Ex. Le moteur marche.; **—à fond** être complètement dupe
marécage *m.* terrain humide
marge *f.* bord
mari *m.* homme marié avec une femme
marier*, se— se donner en mariage
marin *m.* homme qui travaille au service des navires
marmonner dire à voix basse et indistincte
marquis* *m.* titre de noblesse
masser* grouper, réunir
massif plein et solide; énorme; **en or—** qui est uniquement fait d'or
matelas *m.* partie du lit sur laquelle on est couché. Ex. On dort bien sur un bon matelas!
matelot *m.* marin
matériau *m.* (*pl.* **matériaux**) matière qui sert à construire
matériel* concret, tangible
matériellement* positivement, réellement
matière *f.* substance corporelle; **en—de pipes** en ce qui concerne les pipes; **entrée en—** introduction
matin *m.* partie du jour du lever du soleil à midi
matraqueur, garçon— qui frappe avec une matraque (bâton)
maudire dire du mal de, jurer contre
mauve* violet pâle
méandre* *m.* sinuosité d'un fleuve
méchanceté *f.* tendance à faire le mal
méchant †bon. Ex. Le méchant garçon frappe sa petite sœur.
méconnaître mal connaître
médecin# *m.* docteur (en médecine)
médicament *m.* ce que le médicin fait

prendre au malade pour le soigner. Ex. L'aspirine est un médicament.
méditer* réfléchir en silence
méfiant qui montre un manque de confiance
meilleur (comparatif de **bon**)
mélanger mettre ensemble. Ex. Pour faire un cocktail, il faut mélanger plusieurs liquides.
mêler mélanger; **se—** s'introduire mal à propos; se joindre
même (*adj.*) identique; (marque que c'est bien la personne ou l'action)
même (*adv.*) Ex. Personne ne sait la réponse, pas même le professeur.; **à—** libre de; **quand—** malgré tout. Ex. Nous n'avons pas gagné le jeu mais quand même nous avons bien joué.
mémoire* *f.*, **pour—** pour vous le rappeler
menace* *f.*, **faire des menaces** dire qu'on va faire du mal à quelqu'un
menacer* faire craindre, mettre en danger
ménage *m.* travaux domestiques; **s'installer en—** vivre ensemble
mendiant *m.* personne qui vit de la charité publique
mener aller, conduire
mensonge *m.* parole contraire à la vérité
menthe *f.* genre d'herbe aromatique. Ex. La crème de menthe est une liqueur verte.
mentir ne pas dire la vérité
menu# petit
mer *f.* vaste étendue d'eau salée. Ex. La mer Méditerranée est au sud de la France.
mère *f.* femme qui a des enfants
mériter* être digne de, avoir le droit de
merveille* *f.* chose très belle, qu'on admire
merveilleux* magnifique, admirable
messieurs (*pl.* de **monsieur**)
mesure* *f.* précaution
mesure, à—que en même temps que
métamorphoser, se— se transformer
méticuleux* qui prend soin de tous les détails
métier *m.* profession
mètre* *m.* unité de mesure du système métrique (1 mètre = 39 pouces)
mettre placer; ajouter une chose à une autre; **—au jour** laisser voir; **—au point** régler jusqu'aux plus petits détails; **—le comble** mettre au plus haut point; **se—à** commencer à
meuble *m.* Ex. Les tables, les chaises, les bureaux, les lits sont des meubles.
meurtre* *m.* action de tuer un homme
meurtrier *m.* homme qui tue quelqu'un
meurtrir blesser, causer de la douleur
meute *f.* groupe de chiens de chasse
midi *m.* le milieu du jour, †minuit; sud
mieux (comparatif de **bien**) Ex. Aline travaille bien mais Georges travaille mieux.
milieu *m.* centre
militaire* *m.* homme militaire, soldat
militairement* d'une manière militaire
mille: **Je te le donne en—**Tu peux deviner mille fois!
mîmes (p. simp. de **mettre**)
mince de peu d'épaisseur
mine# *f.* expression du visage; **faire—** faire semblant
miniature* *f.* objet d'art de petite dimension
ministère *m.* département d'un ministre. Ex. Le Cabinet est divisé en ministères.
ministre* *m.* celui qui est à la tête d'un service gouvernemental
minois *m.* visage gracieux d'enfant
minuit *m.* milieu de la nuit, †midi
minuscule très petit
minutieux* en grand détail; fait avec soin
mi-octobre, à la— au milieu du mois d'octobre
mi-pente *f.*, **à—** au milieu de la pente
mirage* *m.* phénomène optique
misérable# *m.* homme qui a fait une grande faute
misère* *f.* le fait de manquer de tout
mit (p. simp. de **mettre**)
mi-voix *f.*, **dire à—** parler très bas; **à—** très bas
mixer* *m.* appareil servant à mélanger les aliments

mobiliser* préparer à la guerre
modèle* *m.* exemplaire typique
moindre (comparatif de **petit**), **la—** la plus petite
moine *m.* membre d'une communauté de religieux. Ex. Frère Jacques est un moine qui dort quand il doit sonner les matines.
moins †plus. Ex. 5 moins 3 fait 2; **au—** en tout cas, au minimum; **du—** en tout cas
mois *m.* Ex. Janvier, février, mars, etc.
moitié *f.* 50% du total
mollement d'une manière molle
molosse *m.* grand chien de garde
moment* *m.* **au—où** quand
monde *m.* terre, tout ce qui existe; grande quantité de; **tout le—** toutes les personnes
monsieur *m.* (pl. **messieurs**) (titre donné à un homme)
montagne *f.* Ex. Les Alpes, les Pyrénées sont des montagnes.
montagneux de montagne
monter* aller plus haut; aller sur un animal
Montmartre vieux quartier de Paris
montre *f.* instrument qui indique l'heure
montrer faire voir
monture *f.* partie métallique d'un bijou dans laquelle les pierres sont fixées
moquer*, se—de rire de quelqu'un. Ex. Je me moque du directeur quand il n'est pas là.
moqueur* qui se moque, ironique
morceau *m.* petite partie. Ex. Il a cassé l'assiette en petits morceaux.
mordiller mordre légèrement
mordre serrer les dents sur quelque chose
moribond *m.* personne qui est près de mourir
morne triste, désolé
morsure *f.* action de mordre. Ex. Ce chien a fait une morsure.
mort *f.* fin de la vie; **duel à—** duel où l'on cherche à tuer son adversaire
mort (part. passé de **mourir**) †vivant
mortellement* d'une façon mortelle
mortifier* causer un vif déplaisir
mot *m.* groupe de lettres ayant un sens; **sans—dire** sans dire un mot
mouchoir *m.* petit morceau d'étoffe pour se moucher le nez
mouillé humide, couvert d'eau, †sec
mourir cesser de vivre. Ex. Shakespeare est mort en 1616.
mourut (p. simp. de **mourir**)
moustachu qui a des moustaches
mouton *m.* animal domestique estimé pour sa viande et sa laine
mouvoir, se— être en mouvement
moyen *m.* façon, ce qui sert à une fin. Ex. Il voyage par tous les moyens: avion, bateau, sous-marin, etc.; **au—de** à l'aide de; **avoir les moyens** avoir l'argent nécessaire
municipalité* *f.* ville
mur *m.* Ex. Une maison a 4 murs et un toit.
muraille *f.* mur épais
murer entourer de murs
mûrir rendre mûr, méditer
mutisme *m.* silence obstiné de quelqu'un
mystificateur *m.* qui mystifie
mystique* qui a une signification cachée ou allégorique

N

naissance *f.* action de venir au monde. Ex. Quelle est votre date de naissance? —Le 2 juillet.
naître commencer la vie. Ex. Il est né à Bordeaux en 1964.
naïvement* avec simplicité
narguer braver avec insolence, se moquer. Ex. Si vous narguez le professeur, il vous punira.
naseau *m.* ouverture du nez de certains animaux. Ex. Du feu sort des naseaux du dragon!
naturellement d'une manière naturelle; évidement
naufragé ruiné
navire *m.* grand bateau fait pour la mer
navré désolé, très triste
ne —...aucun pas un seul; **—...jamais** †toujours; **—...ni** (négation pour deux choses) Ex. Il n'est ni jeune ni vieux.;

—...**pas** (négation simple); —...**personne** pas un seul, †tout le monde; —...**plus** pas autre chose à faire; —...**que** seulement
néanmoins pourtant, toutefois. Ex. Il vient de pleuvoir, néanmoins nous allons jouer au tennis.
nécessaire* essentiel, qu'il faut avoir
nécessairement qu'il faut avoir, absolument obligatoire
négligemment avec négligence, sans faire attention
négocier* conduire des affaires, faire un marché
négroïde* qui est de la race noire
neige *f.* Ex. La neige blanche couvre la terre en hiver.
neigeux couvert de neige
nerveux qui a des nerfs irritables, excités
nettement distinctement, clairement
nettoyer rendre propre
neuf (*f.* **neuve**) qui n'a pas encore servi. Ex. Ces souliers neufs me font mal!
névrose *f.* troubles nerveux
nez *m.* partie du visage par laquelle on respire
ni, ne...—...— (négation pour deux choses) Ex. Il n'est ni jeune ni vieux.
nickeler couvrir d'une couche de nickel
nier dire qu'une chose n'est pas vraie
niveau *m.* élévation, hauteur
noblesse* *f.* qualité de ce qui est noble
noctambule *m.* ou *f.* personne qui se promène la nuit
noir de la couleur de la nuit
nom *m.* mot par lequel on s'appelle. Ex. Son nom est Paul.
nombre*, au—de parmi
nommer* donner un nom à
non (réponse négative à une question)
nonchalance* *f.* inactivité, manque de zèle, d'enthousiasme
nord* un des points cardinaux, †sud
noter* remarquer; faire des notes
nouer faire un nœud; **se—** se contracter, se serrer
nourrir, se— manger, prendre des aliments. Ex. Beaucoup d'oiseaux se nourrissent d'insectes.
nourriture *f.* ce qu'on mange, aliment
nouveau (*f.* **nouvelle**) †vieux; **de—** encore une fois; **du—** quelque chose qui n'existait pas avant
nouvel (*m.* sing. de **nouveau** employé devant un nom masculin qui commence avec une voyelle ou un h muet)
nouvelle *f.* événement qu'on vient d'apprendre
noyade *f.* mort par immersion dans l'eau
noyé *m.* personne qui est victime d'une noyade
nu sans vêtement; sans ornements
nuage *m.* masse de vapeur d'eau dans le ciel. Ex. En été les gros nuages noirs annoncent un orage.
nuit *f.* †jour. Ex. Quand le soleil ne brille pas, il fait nuit.
nul personne
nullement en aucune façon
nuque *f.* partie postérieure du cou. Ex. La chatte porte son petit par la nuque.

O

obéir suivre les ordres
objet *m.* chose
observer* dire; regarder
obstinément avec obstination
occasion *f.* circonstance. Ex. Il a l'occasion d'aller en Europe, car sa famille y va cet été.
occuper faire quelque chose pendant un certain temps; **s'—de** donner son attention à; **occupé** concentré
oeil *m.* (*pl.* **yeux**) Ex. Il voit avec les yeux.; **coup d'—** regard rapide; **voir de très mauvais—** voir avec grand déplaisir; **à vue d'—** visiblement
oeillet *m.* fleur qu'on porte souvent à la boutonnière à un mariage, à une fête, etc.
oeuf *m.* Ex. Une omelette est faite d'œufs.
oeuvre *f.* travail, action
officier* *m.* Ex. Le capitaine, le colonel sont des officiers.; **—de génie** officier dont le travail est de fortifier, d'attaquer ou de défendre des places militaires
offre* *f.* ce que l'on veut donner pour avoir une chose

offrir proposer; donner
oiseau *m.* animal qui vole avec ses ailes. Ex. La poule, le canari, le cardinal sont des oiseaux.
oisif inoccupé
olive* de la couleur des olives
ombre *f.* endroit où il n'y a pas de soleil. Ex. Quand le soleil brille, il y a de l'ombre sous les arbres.
ombreux à l'ombre
on (pro. sujet indéfini)
oncle* *m.* le mari de votre tante
ongle *m.* partie cornue au bout des doigts. Ex. Les femmes élégantes ont de longs ongles.
opérer travailler
opposé* en face
or (conj. qui sert à passer d'une idée à une autre) Ex. Mon père était pauvre. Or, un jour, il a trouvé un trésor.
or *m.* métal jaune, précieux
orbite *f.* cavité de l'œil
ordonnance *m.* soldat servant de domestique à un officier
ordre* *m.* commandement
oreille *f.* organe par lequel on entend
orge *f.* céréale; **café d'—** café fait d'orge (Pendant la guerre de 1939-1945 le véritable café était très rare.)
orgueil *m.* fierté excessive. Ex. Jean a beaucoup d'orgueil; il se croit supérieur.
orgueilleux plein d'orgueil
orner embellir, mettre un ornement
orphelin *m.* enfant sans parents
orteil *m.* doigt de pied. Ex. Chaque pied a 5 orteils.
os *m.* Ex. Le squelette est formé d'os.
oser avoir le courage
ou (conj. qui présente une alternative) Ex. J'irai à Paris ou à Rome.; **—bien...—bien.** Ex. Ou bien il fait beau ou bien il pleut.
où (adv. qui marque le lieu) Ex. Où es-tu?; (adv. qui marque le temps) Ex. Le jour où je suis allé à Paris elle est morte.
oublier perdre le souvenir, ne pas se rappeler. Ex. Ce glouton oublie d'étudier mais il n'oublie pas de manger.
ouf! (exclamation) Ex. Ouf! Personne ne m'a vu sortir de prison.
outre en plus; **—qu'il** non seulement il
outré indigné
outre-tombe *f.* au-delà de la tombe
outrer irriter, indigner
ouvertement d'une façon ouverte, non cachée
ouverture *f.* action de s'ouvrir; ce qui est ouvert
ouvrage *m.* livre
ouvrier *m.* homme qui travaille de ses mains
ouvrir †fermer; **s'—** être ouvert

P

paiement* *m.* somme payée
pain *m.* Ex. On fait un sandwich avec 2 morceaux de pain; **être au—sec** recevoir seulement du pain
paisible* plein de paix, calme
paix *f.* †guerre. Ex. Après la guerre de 1914-1918 il y avait la paix jusqu'en 1939.; **gardien de la—** agent de police
palier *m.* plate-forme entre deux étages
pâlir* devenir pâle
palme *f.*, **les palmes académiques** décoration que l'État accorde aux savants, aux professeurs, aux artistes, etc.
panier *m.* ustensile fait de branches flexibles pour transporter les provisions, etc. Ex. Je mets les œufs dans un panier.
panne *f.* arrêt accidentel; **être en—** ne plus pouvoir continuer, être en difficulté
Pape *m.* chef de l'église Catholique résidant à Rome
papier *m.* Ex. Le livre est imprimé sur du papier.; **—journal** journal employé comme papier; *m. pl.* passeport, carte d'identité, etc.
paquet* *m.* ensemble de choses enveloppées
par (prép. qui marque le moyen) Ex. J'entre par la porte mais l'oiseau entre par la fenêtre.; à travers; **—terre** sur le plancher; **—là** de ce côté là; **—trois fois** trois fois
parade# *f.* ornement; **objet de—** ornement
paraître sembler

parapluie *m.* objet qui protège de la pluie
parce que (*conj.*) pour la raison que. Ex. Il arrive en retard parce qu'il marche très lentement.
parcelle *f.* petit morceau
parcourir examiner, visiter rapidement; faire, traverser
pardessus *m.* manteau d'homme
par-dessus (*prép.*) au-dessus de; en plus
pardonner* excuser, oublier une offense
pareil (*f.* **pareille**) semblable, de la même sorte
parent# *m.* personne de la même famille; *m. pl.* le père et la mère
parer, se— mettre comme ornement, s'orner
parfait* sans fautes
parfaitement entièrement, totalement
parfois quelquefois
parisien* de Paris
parler Ex. Parlez-vous français?
parmi dans le groupe, au milieu de
parole *f.* mot, ce qu'on dit; **avoir la—brève** dire peu
part *f.*, **d'autre—** de l'autre côté; **de la —de** de, qui vient de; **autre—** ailleurs; **quelque—** ici ou là, dans un endroit
partager diviser
particularité* *f.* détail particulier
particulier *m.* personne privée, individu
particulier* (*adj.*) spécial
particulièrement* en particulier
partie* *f.* élément; jeu; **faire—** être une partie de. Ex. Les sports font partie de la vie à l'école.
partir* quitter un endroit, s'en aller; **à—de** (*prép.*) de ce point
partout dans tous les endroits. Ex. Il fait beau aujourd'hui à New-York, à Chicago, à San Francisco, partout.
parut (p. simp. de **paraître**)
parvenir réussir
pas *m.* espace entre deux pieds d'un homme qui marche; **au—de course** en courant; **au—** qui marche (et ne trotte pas); **à grands—** rapidement; **avoir le—** précéder, être supérieur
pas, ne...— (marque la négation) Ex. Henri n'est pas ici: il est absent.
passage* *m.* lieu par où l'on passe
passant *m.* personne qui passe
passé *m.* tous les événements qui ne sont ni présents ni futurs
passer aller à côté; traverser; s'écouler. Ex. Le temps passe lentement si l'on est malade.; **—les manches** mettre les bras dans les manches d'un vêtement; **se—** arriver. Ex. Qu'est-ce qui s'est passé? Y a-t-il eu un accident?
passionnant* qui excite les passions
passionnément* avec passion
passionner* intéresser vivement, beaucoup
pâteux épais comme une pâte, comme une substance solidifiée
patienter attendre avec patience
patron *m.* propriétaire (de café), maître
patrouiller* aller par petits groupes pour surveiller
patte *f.* extrémité d'une jambe (d'animal). Ex. Le chien et le chat ont des pattes.
pâturage* *m.* lieu où les vaches mangent l'herbe
paume *f.* partie intérieure de la main
paupière *f.* peau qui ferme l'œil
pauvre qui n'a pas beaucoup d'argent, †riche; pitoyable, malheureux
pauvresse *f.* femme pauvre
pavé *m.* bloc de pierre qui couvre la rue
pays *m.* territoire d'une nation. Ex. La France est un pays.; région; **être du—** vivre dans cette région
paysage *m.* étendue de pays qui présente une vue d'ensemble
paysan *m.* homme de la campagne qui exploite une ferme
peau *f.* membrane qui couvre le corps de l'homme, de l'animal. Ex. La peau d'un éléphant est très dure.
pêcher attraper des poissons
peigner mettre en ordre avec un peigne. Ex. Elle se peigne les cheveux avant de mettre son chapeau.
peignoir *m.* robe de chambre
peine# *f.* effort; **à—** il n'y a pas longtemps. Ex. Le 2 janvier la nouvelle année à peine a commencé. **Ce n'est pas la—** Ce n'est pas nécessaire.

peiner sentir de la fatigue; faire un travail fatigant; faire du mal
peinture *f.* substance colorée qu'on met pour peindre
pencher, se— s'incliner, se courber
pendant (prép. qui marque le temps) Ex. Pendant une heure il lit 25 pages.
pendre suspendre; être pendu. Ex. Le condamné a été pendu avec une corde.
pénétrer* entrer
pénible dur, difficile; qui rend triste, qui afflige
péniblement d'une façon pénible
pénombre *f.* demi-jour
pensée *f.* ce que l'on pense, les idées que l'on a
penser avoir dans l'esprit, imaginer; **—à** tourner l'esprit vers; **—de** avoir une opinion de. Ex. Je pense à Marie. Que pensez-vous d'elle?
pension# *f.* école où l'on habite
pente *f.* inclinaison, flanc d'une montagne
percer découvrir, se montrer
percevoir* noter
perchoir *m.* lieu où perchent les poules. Ex. Le coq chante sur son perchoir.
perdre †trouver; **—de vue** oublier; **se—** être perdu
père *m.* homme qui a des enfants
perfide* déloyal
perle* *f.* petite sphère précieuse formée par l'huître dans l'océan
permettre* laisser faire
permis (part. passé de **permettre**)
perpétrer* commettre
personnage* *m.* personne
personne *f.* homme ou femme
personne (*pro.*) (avec *ne* ou seul dans une réponse) pas un seul homme ou femme. Ex. Qui est devant la porte? Personne. Je ne vois personne.
personnel* *m.* ensemble des employés
perte *f.* résultat de perdre. Ex. La perte de son mari dans cet accident a rendu cette femme bien triste.; **à—de vue** aussi loin qu'on peut voir
pesant lourd, pénible
peser mesurer le poids; appuyer, pousser sur quelque chose. Ex. Jean pèse 50 kilos: c'est un grand garçon.
petit *m.* enfant
petit (*adj.*) †grand; **le—jour** la première lumière du jour
pétrifier* changer en pierre
pétrir mélanger la farine et un liquide pour faire de la pâte (dont on fera le pain)
pétrole *m.* huile minérale. Ex. Une lampe à pétrole sert à éclairer.
peu, un— une petite quantité; **—à—** petit à petit
peur *f.* sentiment que produit l'idée du danger; **avoir—** éprouver ce sentiment que produit l'idée du danger
peut-être (adv. qui montre que quelque chose est possible)
philtre *m.* boisson qui cause la passion
phrase# *f.* Ex. En général une phrase a un sujet, un verbe et un complément.
pièce *f.* Ex. Mon appartement a trois pièces et une cuisine.; morceau, partie d'une matière formant un tout
pied *m.* partie du corps qui est au bout de la jambe. Ex. On marche sur les pieds.; **être à—** marcher; **au—de** en bas de. Ex. Le village est au pied de la montagne.
piège *m.* ce que l'on fait pour tromper ou attraper quelqu'un
pierre *f.* matière dure qu'on trouve dans la terre. Ex. Le petit garçon jette des pierres dans le lac pour voir les cercles à la surface de l'eau.
pierrerie *f.* pierre fine et précieuse
piéton *m.* personne à pied
pile, s'arrêter— s'arrêter abruptement
pillage *m.* grand vol
pincer arrêter
pis plus mal; **tant—** (expression qui montre qu'on n'aime pas ce qui arrive mais qu'on n'y peut rien.) Ex. Je vais en ville.—Mais il pleut!—Tant pis. Il faut que j'y aille.
piste *f.* chemin de terre
pistolet* *m.* petite arme à feu qu'on tire d'une seule main
placard *m.*, **—aux robes** petit cabinet pour les robes
place *f.* poste, travail; espace; lieu occupé par une personne

placer* mettre; **se—** se mettre
plafond *m.* surface plate au-dessus de la tête dans une maison; ensemble de nuages
plage *f.* bord de mer couvert de sable ou de pierres. Ex. Elles prennent des bains de soleil sur la plage.
plaindre, se— pousser des plaintes, protester, dire qu'on n'est pas satisfait
plaine* *f.* terrain plat
plainte *f.* lamentation; contestation; **déposer une—** faire une déclaration de vol, de cambriolage, etc. à la justice
plaire faire plaisir. Ex. On dit «S'il vous plaît» pour demander quelque chose
plaisanter dire ou faire une chose pour amuser
plaisanterie *f.* chose dite pour amuser
plaisir* *m.* sentiment que produit quelque chose d'agréable
plan *m.* carte
planche *f.* grand morceau de bois plat où l'on met des choses. Ex. A la cuisine il y a des planches pour les ustensiles.
plancher *m.* surface où l'on marche dans une maison
planter mettre; dresser, se tenir solidement sur les pieds; **planté** dressé
plat *m.* grande assiette
plâtre* *f.* matière blanche dont on couvre les murs ou le plafond et qui devient dure
plein rempli, †vide; au milieu de. Ex. Et en pleine ville, le voilà avec son léopard!
pleurer Ex. Marie pleure: son père l'a frappée.
pleurnicher affecter de pleurer
pli *m.* ride, endroit où quelque chose est plié; trait du visage causé par la préoccupation, l'anxiété, etc.
plier mettre en double. Ex. Il plie la lettre et la met dans l'enveloppe.; **—bagage** faire ses bagages (pour partir)
plisser faire des plis réguliers
plonger* se jeter dans l'eau; mettre la main au fond
pluie *f.* eau qui tombe du ciel
plume *f.* outil qui sert à écrire
plupart, la—de la plus grande partie de
plus †moins. Ex. J'ai trois francs, il en a cinq: il a plus d'argent que moi.; **ne...—** (marque que quelque chose a fini d'exister) Ex. Il n'a plus d'eau: son verre est vide.; **non—** (marque que quelque chose ou quelqu'un ne veut pas) Ex. —Vous deux, vous voulez m'accompagner? —Non. —Moi, non plus.; **—jamais** pas une seule fois après cela
plusieurs (indique un nombre indéterminé, trois et plus)
plutôt assez; disons mieux, il est préférable de dire
poche *f.* petit sac dans un vêtement pour porter quelque chose. Ex. Il garde son mouchoir et ses cigarettes dans sa poche.
poêle *m.* appareil pour se chauffer en hiver où l'on brûle du bois, du charbon, etc.
poignard *m.* arme courte et pointue (comme un couteau)
poignarder frapper avec un poignard
poignet *m.* partie du bras entre la main et l'avant-bras. Ex. Il porte sa montre au poignet.
poil *m.* ce qui pousse sur le corps de l'homme et de nombreux animaux (comme les cheveux)
poilu couvert de poils
poing *m.* main fermée. Ex. Un boxeur frappe l'autre avec ses poings.
point* *m.* endroit; **—de départ** le commencement; **—d'honneur** question d'honneur; **être au—** être parfait; **mettre au—** régler jusqu'aux plus petits détails
point, ne...— (négatif pour insister) Ex. Ne manque-t-il pas d'intelligence? —Point!
pointe* *f.* extrémité. Ex. La ballerine danse sur la pointe des pieds.; bout; ironie qui pique, qui blesse
poire *f.* fruit du poirier
poisson *m.* animal qui vit toujours dans l'eau. Ex. La carpe, la sardine sont des poissons.
poitrine *f.* partie du corps qui va du cou au ventre
poli courtois, qui se conduit bien. Ex. Il n'est pas très poli: il n'a pas dit bonjour.
policier *m.* homme de la police

poliment avec politesse
politesse* *f.* manière d'agir avec civilité, avec courtoisie
pomme *f.* fruit du pommier. Ex. Adam et Eve ont mangé une pomme.
pomper sécher, évaporer
ponctuer* mettre la ponctuation; couper
pont *m.* plancher du bateau; construction au-dessus d'une rivière
port* *m.* abri pour les bateaux. Ex. Le Havre est un grand port.
porte *f.* Ex. J'entre dans la maison par la porte.; **—de service** porte pour les domestiques
portée *f.* importance, force, valeur; **à—de voix** distance à laquelle on peut entendre une voix
portefeuille *m.* enveloppe pour l'argent
porte-plume *m.* morceau de bois auquel on attache une plume pour écrire
porte-serviettes *m.* objet sur lequel on fait sécher les serviettes
porter avoir quelque chose sur les épaules, le dos, etc. Ex. Le policier porte un revolver.; avoir un vêtement sur le corps; **tout porte à croire** tout semble indiquer; **—à conséquence** avoir des conséquences; **—un coup** donner un coup, blesser; **se—** aller. Ex. Je vais bien, je me porte très bien.
poser mettre. Ex. Elle pose le vase de fleurs sur le piano; **—des questions** interroger
posséder* avoir
possesseur* *m.* homme qui possède, qui a quelque chose
poste* *f.* service postal
poste* *m.* travail; endroit où est placé un soldat; **—de garde** sentinelle, gardien
poster* placer dans un poste
potage *m.* soupe
potelé gras, arrondi
pouce *m.* le plus gros des doigts de la main
poudre *f.* explosif; poussière
poule *f.* femelle du coq. Ex. La poule donne des œufs.
poumon *m.* organe avec lequel on respire
pour (prép. qui marque ce qu'on veut faire) Ex. Il travaille pour gagner de l'argent.
pourquoi pour quelle raison
poursuivre continuer
pourtant cependant, mais
pourvu que (*conj.*) à condition que
pousser exercer une pression; laisser croître. Ex. Henri se laisse pousser une barbe.; crier, faire sortir. Ex. Elle pousse un cri.; faire subitement; **carrière poussée** profession avancée
poussière *f.* terre changée en poudre
pouvoir *m.* ce qu'on est capable de faire. Ex. Un diplomate a de grands pouvoirs.
pouvoir (*v.*) être capable de; avoir la permission. Ex. Vous pouvez sortir. —Je ne peux pas, la porte est fermée.
précéder* qui vient avant
prêcher* faire un sermon
précieusement avec beaucoup de soin et d'attention
précieux* d'une grande valeur
précipitation# *f.* rapidité
précipiter, se— se lancer en avant
précis* exact
précisément* exactement
préciser* être exact, précis; **se—** devenir plus précis
précision* *f.* détail précis, exactitude
préfecture *f.* bâtiment où se trouve le préfet (Le préfet est à la tête d'un département. A Paris, la police est dirigée par le Préfet de police.)
prendre saisir, fermer la main sur quelque chose; accepter; **—congé** demander la permission de partir; **—place** s'asseoir; **se— pour** s'imaginer, se croire être; **s'en—à** attaquer
près (marque la proximité); **—de** †loin de; **à peu—** approximativement, plus ou moins
prescrire* ordonner
prescrite (part. passé de **prescrire—** au *f.*)
présence* *f.*, **rester en—** continuer de jouer, l'un en face de l'autre
présenter montrer, donner. Ex. Marie, je vous présente Henri. —Bonjour, Henri.; **se—** apparaître
presque pas tout à fait

pressentir prévoir d'une façon vague, deviner

presser# obliger; **être pressé** ne pas avoir beaucoup de temps

prestigieux qui a du prestige

présumer* avoir une trop bonne opinion

prêt préparé

prétendre# vouloir

prêter donner à quelqu'un quelque chose qu'il devra rendre. Ex. Pierrot, prête-moi ta plume: je te la rendrai demain.; **—attention** faire attention; **—l'oreille** écouter attentivement

prêteur *m.* celui qui prête de l'argent

prétexte* *m.* excuse

preuve *f.* ce qui démontre la vérité d'une chose

prévenir informer, dire à l'avance

prévision *f.* conjecture

prier demander; **je vous en prie** s'il vous plaît

prime# *f.* récompense

prince *m.*, **être bon—** être généreux

printemps *m.* saison qui suit l'hiver et qui précède l'été

prise *f.* endroit où l'on peut brancher un appareil sur le circuit électrique

prit (p. simp. de **prendre**)

priver déposséder, ôter. Ex. Le petit glouton a été privé de dessert.

prix *m.* ce qu'il faut payer pour acheter une chose

procéder* faire, agir d'une certaine manière

procès *m.* affaire devant le juge; **—verbal** acte d'un officier de justice qui affirme un fait

prochain qui suit, qui vient ensuite

proche près

proclamer* montrer, prouver

procureur *m.* magistrat chargé de l'accusation d'un criminel

prodige* *m.* chose fantastique

produire, se— se passer, arriver

produit* *m.* chose produite pour être vendue

proférer prononcer

profiler, se— se présenter de profil

profond loin de la surface, très bas

profondément à une grande profondeur; avec intensité

profondeur *f.* mesure de distance sous la surface

proie *f.* victime, objet; **se sentir en—à** être saisi de

promenade* *f.* lieu où l'on se promène

promener, se— faire une promenade, marcher pour le plaisir; **envoyer—** dire de s'en aller

promeneur *m.* personne qui fait une promenade à pied

promesse* *f.* assurance donnée

promettre faire une promesse, dire qu'on va faire quelque chose

prononcer* dire

propice utile, favorable

propos *m.* résolution, argument; **à—** à ce sujet

proposer* suggérer

propre (adj. qui insiste sur l'idée de possession) Ex. Quoi! Mon propre fils m'insulte maintenant!

propriétaire* *m.* homme qui a une chose

propriété* *f.* Ex. Cette maison est ma propriété: je la possède.

protéger défendre; mettre à l'abri. Ex. Cet arbre protège la maison.

provenance *f.* origine

province* *f.* division administrative de la France avant la Révolution.; **A Paris comme en—** partout en France

provocant* qui excite; qui attaque

prudemment avec prudence

psychiatre* *m.* médecin des maladies mentales

psychiatrie* *f.* science qui traite les maladies mentales

pu (part. passé de **pouvoir**)

publier* rendre public, mettre dans un journal, imprimer

puis après, ensuite, alors

puiser prendre. Ex. La femme puise l'eau du puits.

puisque (conj. pour indiquer une cause) Ex. Puisque vous ne comprenez pas, je recommence l'explication.

puissant très fort

puissent (prés. du subj. de **pouvoir**)
puits *m.* trou profond dans la terre où il y a de l'eau ou du pétrole
pupitre *m.* table d'écolier
pur* sans mélange; que rien ne trouble; innocent
put (p. simp. de **pouvoir**)

Q

quadriller couvrir de lignes droites pour couper en carrés
quai *m.* dans un port l'endroit où les bateaux s'arrêtent pour débarquer les passagers
qualité* *f.* ce que quelqu'un ou quelque chose a de bon
quand (*conj.*) au moment où; **—même** malgré tout. Ex. Nous n'avons pas gagné le jeu mais quand même nous avons bien joué.; **depuis—** (marque une date dans le passé)
quant, —à à l'égard de, en ce qui concerne. Ex. Quant à Suzanne, elle ne peut pas aller au bal, elle est trop malade.
quarantaine *f.* à peu près quarante
quart *m.* Ex. Quatre quarts font une unité.
quartier *m.* partie d'une ville; **le beau—** quartier riche de la ville; **quartiers généraux** lieu où se réunissent les officiers supérieurs
quasi presque; **—dénuement** misère presque totale
que, ne...— seulement. Ex. Une personne n'a qu'une tête.
quelconque n'importe quel, †particulier. Ex. Donnez-moi un journal quelconque: j'en ai besoin pour faire du feu.
quelque (nombre indéfini) deux ou trois; un peu de; **—chose** objet non précisé. Ex. Je vois quelque chose mais je ne sais pas ce que c'est.
quelquefois de temps à autre
quelqu'un personne non nommée
questionner* examiner
queue *f.* appendice d'un animal. Ex. La queue du cochon est en spirale.
quiétude *f.* tranquillité d'âme, calme intérieur
quinzaine *f.* à peu près quinze
quitter# partir de; **ne pas—des yeux** suivre des yeux
quoi (mot exclamatif et interrogatif)
quoique bien que, malgré le fait que
quotidien *m.* journal qui paraît tous les jours

R

rabattre, se— changer subitement de plan, venir à une autre affaire, faire autre chose
raconter réciter
radiophonique de la radio
rafraîchissement* *m.* boisson fraîche. Ex. Après la réunion, on sert des rafraîchissements: limonade, coca-cola, etc.
raidillon *m.* court chemin en pente rapide
raidir, se— devenir raide, inflexible
railleur *m.* moqueur
raison* *f.* ce qu'on trouve à dire pour défendre ce qu'on a dit ou fait. Ex. Il a toujours de bonnes raisons pour expliquer sa conduite.; faculté mentale d'un homme normal; **avoir—** Ex. Au magasin, le client a toujours raison.; **à—de** (indique la quantité)
raisonnable* conforme à la raison
raisonnement *m.* manière de raisonner
rajeunir devenir jeune
ralentir aller plus lentement
ramasser prendre ce qui est par terre
ramener rapporter; revenir avec
ramper avancer sur le ventre. Ex. Un serpent rampe.
rangée *f.* ligne
ranger mettre des choses en ordre
rappeler faire venir à la mémoire; faire revenir; **se—** se souvenir
rapport *m.* relation
rapporter raconter; donner comme produit; **se—** se référer à
rapprocher aller plus près
rauque rude, âpre
rare †nombreux; **au cheveu—** qui a très peu de cheveux
raser couper les poils du visage. Ex. Il se rase avec un rasoir.

rassurer rendre la confiance
râtelier *m.* meuble où l'on garde les assiettes
rattacher* lier, unir
ravi très content
raviser, se— changer d'avis
ravitaillement *m.* provisions
ravitailler donner assez de provisions
rayon# *m.* département (d'un magasin)
réapparaître apparaître encore une fois
rebelle* qui refuse d'obéir, révolté
rebord *m.* bord élevé. Ex. Le chat aime s'asseoir sur le rebord de la fenêtre dans le soleil.
recacher cacher de nouveau
récapituler* résumer, redire
récemment à une date récente
recevoir* prendre ce qui est offert; inviter des amis chez soi
réchauffer faire chauffer ce qui est froid
recherche* *f.* action de chercher. Ex. Cet historien fait des recherches importantes.
rechercher chercher de nouveau, poursuivre au nom de la loi
récit *m.* ce que quelqu'un raconte, histoire
réclamer demander avec persévérance et insistance
reçoive (prés. du subj. de **recevoir**)
récolte *f.* action de recueillir les produits du sol
récolter recueillir les produits du sol. Ex. En automne le fermier récolte ce qu'il a cultivé.
recommencer commencer encore une fois
récompenser* donner quelque chose en reconnaissance d'un service, d'une bonne action
reconduire conduire quelqu'un à la porte de la maison
reconnaissance *f.* gratitude
reconnaître identifier; constater, vérifier
reconstituer* refaire, organizer encore une fois
recoucher, se— se coucher de nouveau
recourbé arrondi au bout
recouvert couvert entièrement
recouvrir couvrir de nouveau, couvrir entièrement
récréation* *f.* temps accordé aux jeux
recroqueviller, se— diminuer de volume, se contracter sous la chaleur
recueillir donner refuge à quelqu'un
recuire cuire de nouveau
recul *m.* mouvement en arrière
reculer marcher en arrière
récupérer rentrer en possession
récurer nettoyer
reçut (p. simp. de **recevoir**)
redevenir devenir encore
rédacteur *m.* homme qui écrit un article
redire dire encore
redoutable qui inspire la peur, terrifiant
redouter avoir peur. Ex. Il redoute un accident d'automobile.
réduire rendre plus petit
redresser rendre droit, lever encore
réduit *m.* petite pièce sombre
réel* vrai
refermer fermer encore
réfléchir* penser longtemps
réflexion* *f.* pensée
refroidir devenir froid de nouveau
réfugier*, se— se retirer en un lieu pour se mettre en sécurité
regagner rentrer
régal# *m.* grand plaisir; grand repas
regard# *m.* action de regarder
regarder tourner les yeux vers une personne ou une chose
règle *f.* principe, loi; **en—** en ordre, comme il faut
règlement *m.* ordonnance; action de régler, de payer; **—de comptes** réunion pendant laquelle des factions rivales luttent entre elles pour dominer
régler déterminer; payer; mettre en ordre
réglisse *f.* substance noire faite de racines aromatiques et dont on se sert pour composer des boissons rafraîchissantes
régner gouverner, dominer
reine *f.* femme du roi. Ex. La reine Elizabeth règne en Angleterre.
reinette *f.* petite grenouille qui chante le soir au printemps
rejoindre retrouver

réjouir rendre gai, joyeux
relater* raconter
relation *f.* **rentrer en—avec** faire la connaissance de
reléguer confiner
relever lever encore; **se—** se lever encore
relier rattacher, réunir
relique* *f.* partie du corps d'un saint ou objet ayant appartenu à un saint
relire lire encore
remarquer* apercevoir
remerciement *m.* action de dire «merci»
remercier dire «merci»
remettre mettre dans les mains; mettre encore une fois; **se—à** recommencer; **remettez-vous** rassurez-vous
remonter monter encore une fois
remords* *m.* reproche de la conscience
remplacer mettre à la place de quelqu'un ou de quelque chose
remplir Ex. Le verre est vide; je remplis le verre: il est plein.
remue-ménage *m.* bruit de meubles, etc.
remuer changer de place, bouger, ne pas être stable
rencontre *f.*, **aller à leur—** se diriger vers eux
rencontrer entrer en contact, trouver en marchant
rendre faire; donner; faire devenir; donner à celui qui vous l'a donné; **se—** aller; **se—compte** s'apercevoir
renforcer*, se— devenir plus fort, plus prononcé
renifler aspirer fortement par le nez
renoncer* accepter la perte
renseignement *m.* information. Ex. Le bureau de renseignements vous dira où est votre train.
renseigner donner des indications, informer
rentrer retourner à la maison; **—en possession** ravoir, avoir encore une fois
renverser faire tomber, mettre à l'envers. Ex. L'auto est renversée: les roues sont en l'air.
renvoyer dire à quelqu'un de ne plus revenir
reparaître paraître de nouveau
reparler parler encore une fois
repartir partir encore
répartir distribuer
repas *m.* Ex. Il y a trois repas: le petit déjeuner, le déjeuner et le dîner.
repasser passer de nouveau
répéter* dire encore une fois
repentir*, se— avoir un vif regret
repérer découvrir
répondre Ex. Le professeur a posé une question et l'élève a répondu.
réponse *f.* †question
reporter# porter encore; **se—** revenir
repos *m.* fait de s'arrêter de travailler ou de marcher
reposant calmant
reposer remettre; **se—** s'arrêter de travailler pour reprendre ses forces
repousser pousser de nouveau; pousser en arrière, faire reculer
reprendre prendre de nouveau; **—ses esprits** maîtriser ses sentiments
représentant* *m.* celui qui représente (une compagnie) dans une autre ville
représenter démontrer; **se—** imaginer
réprimander* gronder, faire une réprimande
réprimer arrêter l'action
reproche *m.* blâme
reproduire* imiter fidèlement; **se—** se répéter, se faire de nouveau
réputé* qui a une grande réputation
résigner*, se— renoncer, accepter une chose désagréable, sans révolte
résister* Ex. Un pays résiste à l'ennemi.
résolument avec résolution
résonner être sonore
résoudre faire la résolution
respirable qu'on peut respirer
respirer faire entrer de l'air dans le corps
resplendir briller
ressentir éprouver
resservir servir de nouveau
ressort *m.* pouvoir, force motrice
ressource* *f.* source de richesse
reste *m.* ce qui est encore là; petite quantité qui reste; **du—** d'ailleurs. Ex. Il pleut et du reste je ne voulais pas y

aller.
rester# †partir. Ex. Je reste à l'école où je travaille.; exister encore. Ex. Il me reste toujours les 5 francs.; **il ne reste que** il n'y a que
restitution* *f.* action de rendre quelque chose à celui qui l'a possédé
résumer* raconter en peu de mots
retarder mettre en retard. Ex. L'accident retarde l'arrivée du train.
retenir garder; **—son souffle** ne pas respirer pendant quelques moments
retentir résonner
rétif difficile à persuader, rebelle
retirer ôter. Ex. Il retire son gant avant de serrer la main.; **se—** partir; prendre sa retraite, ne plus travailler
retomber tomber de nouveau
retour *m.* action de revenir
retourner* aller au même endroit; **se—** tourner la tête et la partie supérieure du corps en arrière
retraite *f.* lieu où l'on se cache; maison de bandits; action de se retirer de la vie active. Ex. On prend sa retraite à 65 ans.
retraité *m.* homme qui a pris sa retraite, qui vit de sa pension
rétribution* *f.* salaire, récompense
rétrograde opposé au progrès, réactionnaire
retrousser relever, plier
retrouver trouver encore
réunir* aller entre, faire communiquer; joindre
réussir avoir du succès
revanche* *f.* vengeance, désir d'infliger une douleur égale à celle qu'on a soufferte
rêve *m.* images qui viennent à l'esprit pendant le sommeil
réveil *m.* moment de se réveiller, moment où cesse le sommeil
réveiller sortir du sommeil; **se—** cesser de dormir
révélateur (*f.* **révélatrice**) qui montre ce qui était caché
révéler* montrer ce qui était caché; **se—** se montrer
revendeur *m.* qui achète pour vendre après
revendre vendre encore
revenir aller à l'endroit d'où l'on est parti; venir de nouveau; reprendre
rêver Ex. Quand on dort on voit des choses imaginaires; on rêve.
rêverie* *f.* idée vaine
revêtir vêtir de nouveau, habiller, mettre
rêveur qui rêve
rêveusement comme dans un rêve
revint (p. simp. de **revenir**)
revoilà voilà encore
revue *f.* publication périodique
rhabiller, se— s'habiller de nouveau
ricaner rire avec méchanceté
riche* †pauvre
ride *f.* pli de la peau. Ex. Ce vieux a des rides au front.
rien, ne...— (négatif de quelque chose) pas une seule chose; **n'être bon à—** être incapable de faire quelque chose de bon; **n'y être pour—** ne jouer aucun rôle, ne pas être responsable
rigoureusement d'une manière stricte
riposter faire une réponse vive
rire *m.* action de rire
rire (*v.*) faire un bruit qui montre qu'on s'amuse. Ex. Il rit; le film est très comique.; **pour—** qui n'est pas sérieux
risque* *m.* danger possible
risquer*, s'— s'aventurer
rive *f.* bord d'une rivière; **—droite** le côté de la Seine à Paris où se trouvent les grands magasins, la Place de la Concorde, etc.
rivière* *f.* Ex. La rivière arrive au lac.
robe *f.* habit que porte les femmes; **—de chambre** peignoir
robinet *m.* appareil permettant d'arrêter ou de laisser couler un liquide (ou un gaz)
robot* *m.* automate, machine qui peut faire le travail d'un homme
roche* *f.* masse de pierre
rocher *m.* grande masse de pierre
rocheux couvert de roches
rôder aller ici et là en cherchant de la nourriture
rogue arrogant, grossier
roi *m.* celui qui règne dans une monarchie; carte portant l'image d'un roi

rôle* *m.* ce que dit chaque acteur dans une pièce
rond* Ex. Un cercle est rond.; **tourner en—** faire un petit cercle
ronde *f.* voyage d'inspection
ronflement *m.* bruit qu'on fait en dormant
ronfler faire du bruit en dormant. Ex. z-z-z
ronger couper avec les dents peu à peu. Ex. Le lapin ronge la carotte.; tourmenter
ronronner faire du bruit comme un chat qu'on caresse
rose* couleur entre le rouge et le blanc
rouge couleur. Ex. Le drapeau français est bleu, blanc et rouge.
rougeâtre presque rouge
rouille *f.* oxyde de fer, couleur rouge-orange que produit l'humidité sur le fer
rouler* Ex. La balle roule loin.
route* *f.*, **faire fausse—** aller dans la mauvaise direction
roux (*f.* **rousse**) couleur rouge des cheveux
royaume *m.* territoire sur lequel règne le roi
rude# fatigant
rue *f.* chemin bordé de maisons dans une ville
rugir pousser des cris (en parlant d'un lion, d'un ours, etc.)
rugueux âpre au toucher, †doux, uni
ruisseler couler comme un ruisseau; couler abondamment
ruisseau *m.* petite rivière
rumeur# *f.* bruit indistinct
ruminer* formuler en réfléchissant longuement
ruse* *f.* stratagème
rutilant (*fam.*) très brillant

S

sable# *m.* gravier. Ex. La plage au bord de la mer est couverte de sable fin.
sabot *m.* sorte d'ongle à l'extrémité de la jambe du cheval, de la vache, etc.
sac* *m.* enveloppe d'étoffe; **être dans le même—** partager les mêmes peines et problèmes
sage* *m.* personne très intelligente
sage* (*adj.*) intelligent; bon (en parlant d'un enfant)
sain en bonne santé, †malade
saisir* prendre
saison* *f.* Ex. Les 4 saisons sont: l'automne, l'hiver, le printemps, et l'été.
sale# †propre. Ex. Tu as joué dans la boue? Tu es tout sale!; contraire à l'honneur
salle *f.* grande pièce
salon* *m.* pièce où l'on reçoit les personnes qui viennent, les invités
saluer* dire bonjour, au revoir, etc.; faire un signe de tête pour prendre congé; faire un salut militaire
salut *m.* salutation
samedi *m.* jour venant après le vendredi et avant le dimanche
sang *m.* liquide rouge qui coule dans les veines de l'homme
sanglant plein de sang
sanglot *m.* contraction spasmodique de douleur. Ex. La femme a poussé des sanglots quand on lui a annoncé l'accident.
sans †avec
sans que (conj. qui marque qu'une action n'a pas été faite)
santé *f.* état d'un organisme. Ex. Je suis en bonne santé, je ne suis pas malade.; **maison de—** hôpital pour les fous
saucisse *f.* enveloppe remplie de viande hachée. Ex. On met de la moutarde sur une saucisse.
saucisson *m.* grosse saucisse (viande pressée dans une enveloppe). Ex. Le salami est un saucisson.
sauf excepté; **sain et—** non touché, non blessé, hors de danger
saute *f.* changement brusque
sauter faire un bond. Ex. Le lion saute sur l'animal et le mange.
sauver* Ex. Le pompier sauve l'enfant de la maison en feu.; **se—** fuir, s'en aller rapidement
savamment fait avec science
savoir connaître. Ex. Savez-vous son adresse? Oui, c'est 5, rue du Bac.

scintiller briller en jetant par intervalles des éclats
sec (*f.* **sèche**) †humide, mouillé. Ex. Après la pluie le soleil rend le chemin sec encore.; maigre; brusque, rapide; **pain—** du pain comme seule nourriture
sèchement sans intonation, d'une manière froide, peu agréable
sécheresse *f.* état de ce qui est sec. Ex. Ah, quelle bonne pluie après ces mois de sécheresse!
secouer agiter fortement. Ex. Le chat secoue le rat par la tête.
secourir aider
secours *m.* aide
Seigneur *m.* Dieu, l'être suprême
séjour *m.* visite
selon d'après. Ex. Selon cette femme, c'est la fin du monde!
semaine *f.* durée de sept jours; **—anglaise** repos du samedi après-midi et du dimanche
sembler donner l'impression; **il me semble** j'ai l'impression
semelle *f.* partie du soulier qui touche le sol; **ne pas lâcher d'une—** ne point quitter
sens* *m.* opinion; avis; **bon—** bon jugement
sensé raisonnable
sensible# facile à toucher, à émouvoir
sentier *m.* chemin étroit
sentiment *m.* sensation, impression
sentir avoir l'idée de quelque chose par les sens; exhaler une odeur; **se—** se croire, se reconnaître; **se faire—** être démontré, être évident
serment *m.* promesse solennelle; **faire le—** jurer d'obéir. Ex. Le chevalier Lancelot a fait le serment au roi Arthur.
serpe *f.* couteau très fort pour couper le bois
serrer presser ensemble. Ex. Les Français se serrent la main chaque fois qu'ils se voient.
serrure *f.* mécanisme avec lequel on ferme une porte à clef
serrurier *m.* homme qui fait les serrures
service *m.* département, division
serviette *f.* grand portefeuille. Ex. L'étudiant porte ses livres à l'école dans une serviette.
servir, —à être utile à; **se—de** employer
seuil *m.* planche de bois au bas d'une porte
seul isolé. Ex. Jeanne travaille seule: personne ne l'aide.
seulement Ex. J'ai seulement dix doigts, c'est tout.
sévère* strict
si (*adv.*) tellement. Ex. Il est si beau que toutes les filles le regardent.
si (conj. qui marque la condition) Ex. S'il a le temps, il va venir.
siècle *m.* durée de cent ans
siège *m.* chaise; opération militaire destinée à isoler une ville
siffler produire un son aigu avec la bouche. Ex. L'enfant siffle pour se rendre courageux quand il traverse le bois la nuit.
sifflet *m.* instrument avec lequel on siffle. Ex. L'arbitre arrête le jeu de football avec un coup de sifflet.
signalement *m.* description
signaler* indiquer; **se—** attirer l'attention sur soi
silencieusement sans faire de bruit
sillon *m.* Ex. Au printemps le fermier laboure la terre avec sa charrue. La charrue laisse des traces longitudinales dans la terre. Ce sont des sillons.
sillonner faire des sillons, laisser des traces longitudinales
simplement d'une manière simple
simplifier* rendre plus simple
simuler* faire semblant, faire ressembler à la vérité
singulier (*f.* **singulière**) bizarre, extraordinaire, curieux
sinon si c'est non, si cela n'est pas
situation *f.* poste, travail
situer* placer
société* *f.* la haute société, les gens chic, riches
soeur *f.* fille née de la même famille qu'une autre personne
soi-disant qui se dit, prétendu
soif, avoir— avoir le désir de boire

soigner avoir soin. Ex. C'est un bon fermier: il soigne bien tous ses animaux.
soigneusement avec grand soin
soin *m.* grande attention
soir *m.* partie du jour entre l'après-midi et la nuit
soirée *f.* réunion du soir pour danser, jouer, etc.
sois (impér. de **être**)
soit d'accord, oui; —...— (conj. alternative) Ex. Soit qu'il est malade, soit qu'il ne veut pas venir: il n'est pas venu.
sol *m.* terre, surface sur laquelle on marche
soldat *m.* militaire
solde *f.* l'argent que reçoit le soldat
soleil *m.* astre qui envoie sa lumière à la terre
solennel (*f.* **solennelle**) grave, sérieux
solide* fort
solitaire *m.* ou *f.* personne seule
solliciter* demander
sombre# †clair. Ex. Ce cabinet sans fenêtre est sombre.; triste
sommaire abrégé, court
somme *f.* quantité (d'argent); **en—** brièvement; en conclusion
sommeil *m.* état de celui qui dort
sommet *m.* point le plus haut
somnambulique qui marche pendant son sommeil
son *m.* bruit
songe *m.* rêve, images qui se forment pendant le sommeil
songer penser, rêver
songeur qui fait des songes, qui rêve
sonner produire un bruit de cloche; faire venir quelqu'un. **Tu es sonné.** Tu es fou.
sonnerie *f.* petite cloche
sonnette *f.* clochette à l'entrée d'une maison
sonore* qui fait beaucoup de bruit
sorcière *f.* femme qui a fait un pacte avec le diable pour faire de la sorcellerie. Ex. On a puni les sorcières de Salem, Massachusetts.
sordide* sale, dégoûtant
sort# *m.* destin, fortune, ce qui arrive à une personne
sorte* *f.* manière; **de—que** de manière que. Ex. Il étudie de sorte qu'il reçoive un B.; **de toute—** en grande variété
sortie *f.* endroit où l'on sort; **—de bain** peignoir, robe de chambre
sortir aller au dehors; tirer au dehors
soucier, se—de se donner la peine de, essayer de
soucieux inquiet, anxieux
soudain* subitement, tout d'un coup
soudure *f.* fusion métallique; lien
souffle *m.* air respiré; **dire dans un—** dire à voix basse
soufflet *m.* coup donné au visage de quelqu'un
souffrir avoir mal. Ex. Je me suis cassé la jambe, je souffre.
souhaiter désirer, vouloir
soulagement *m.* diminution d'anxiété ou de douleur. Ex. Quel soulagement quand l'examen est terminé!
soûler rendre ivre
soulever élever un peu; causer; **se—** se révolter, s'agiter
soulier *m.* chaussure, ce qu'on porte aux pieds
soumis mis sous les ordres d'un autre, obéissant
soupçon *m.* doute; opinion désavantageuse
soupçonner avoir des doutes, des soupçons; conjecturer
soupir *m.* respiration forte qui exprime la joie ou le regret. Ex. Elle va pousser des soupirs quand son oncle partira!
soupirer murmurer; faire une respiration forte en parlant
souple* †rigide
source* *f.* endroit où commence quelque chose; origine d'un ruisseau, eau qui sort de la terre
sourcil *m.* ligne de poils au-dessus de l'œil; **froncer les—** contracter les sourcils (en signe de mécontentement)
sourd qui n'entend pas; peu sonore; interne, contenu
souriant qui sourit
sourire *m.* action de montrer qu'on est

heureux en montrant les dents; présenter un aspect agréable
sournois qui garde caché, hypocrite
sous (*prép.*) Ex. Un sous-marin est un bateau qui va sous la surface de l'eau.
sous-directeur *m.* qui vient directement après le directeur
soustraire enlever; **se—** se préserver, échapper
soutenir empêcher de tomber, apporter son aide
souterrain *m.* tunnel ou cave sous la terre
souvenir, se—de trouver dans la mémoire, faire revenir à la mémoire
souvent †rarement
spirituel (*f.* **spirituelle**) qui a de l'esprit. Ex. La conversation spirituelle nous amuse.
stationner s'arrêter momentanément
stratagème* *m.* plan
stupéfait* étonné, immobilisé par la surprise
stupéfier* étonner, faire une grande surprise
stupeur* *f.* grand étonnement
suavité *f.* douceur
subit soudain
subitement soudainement, tout à coup
subordonné* *m.* qui est sous les ordres de quelqu'un; employé subalterne
succéder# suivre, venir après; **se—** venir après, l'un après l'autre
succès* *m.* résultat heureux
sucer attirer avec la bouche. Ex. Le bébé suce le lait.
sucre *m.* Ex. On met du sucre dans le café.
sud *m.* un des points cardinaux, †nord; Ex. En automne les oiseaux volent au sud.
sueur *f.* eau salée qui sort de la peau quand on a chaud
suffire être assez
suffisamment assez
suffisant qui suffit
suffocant qui suffoque
suffoquer* ne pas avoir assez d'air
suite *f.* ce qui suit, ce qui vient après. Ex. Les suites de cette affaire ont été désastreuses!; **tout de—** immédiatement
suivant qui suit; d'après, selon
suivre marcher après, aller derrière; observer quelqu'un
supplier demander, prier avec instance
supprimer faire disparaître
sur (*prép.*) Ex. Le livre est sur la table et le chien est sous la table.
sûr* certain; **bien—** certainement
surélevé élevé plus haut que le reste
sûrement assurément
sûreté *f.* état d'être sûr; **chaînette de—** petite chaîne qui empêche d'ouvrir la porte
surexciter exciter à l'excès
surgir apparaître subitement
surhomme *m.* type d'homme supérieur
sur-le-champ immédiatement
surlendemain *m.* jour après le lendemain
surmenage *m.* travail excessif
surnom *m.* nom ajouté au nom propre d'une personne
surprendre prendre par surprise; **se—** devenir conscient
sursaut *m.* mouvement brusque; **en—** brusquement
sursauter faire un mouvement brusque
surtout par-dessus tout
surveillance* *f.* action de regarder avec attention
surveiller regarder avec attention
survivant celui qui demeure en vie après les autres
survivre* demeurer en vie après les autres
suspect* qu'on soupçonne, d'une qualité douteuse
suspendre interrompre momentanément
sût (imp. du subj. de **savoir**)
syllabe* *f.* Ex. Le mot «alphabet» a trois syllabes: al-pha-bet.
symboliquement* de façon symbolique

T

tabac* *m.* plante. Ex. Il y a du tabac dans les cigarettes.

tableau *m.* image peinte, peinture. Ex. Les tableaux de Rembrandt sont fameux.; **—noir** tableau sur lequel on écrit avec de la craie à l'école.
tache *f.* marque sale. Ex. L'encre laisse une tache bleue.
tâcher essayer
taillader couper en morceaux
taille *f.* dimension
tailler couper
taire, se— ne pas parler, ne pas faire de bruit
talon *m.* partie postérieure d'un soulier. Ex. Comme le talon du soulier de cette femme est haut!
tandis que pendant le temps que
tant tellement. Ex. Il y a tant de nuages que le ciel est gris.; **du—** d'un certain jour; **—pis** (expression qui montre qu'on n'aime pas ce qui arrive mais qu'on n'y peut rien) Ex. —Je vais en ville. —Mais il pleut. —Tant pis. Il faut que je parte.
tapir, se— se cacher
tapis *m.* tissu épais qui couvre le plancher
tapisserie* *f.* pièce d'étoffe dont on couvre les murs
taquiner irriter, agacer
tard à une heure avancée, †tôt. Ex. Il se couche tard.
tarder prendre du temps
tas *m.* certaine quantité d'objets mis les uns sur les autres sans ordre. Ex. En automne on fait des tas de feuilles sous les arbres.
tassé fort, large, pas grand
tâter essayer; éprouver à l'aide du toucher. Ex. Il tâte dans le noir pour trouver le bouton de la lampe.
tâtonner chercher avec les mains sans se servir des yeux
taureau *m.* mâle d'une vache
teint *m.* couleur du visage
teinte *f.* nuance; couleur
tel (*f.* **telle**) pareil, semblable; **à—point** avec une intensité si grande
tellement si longtemps et si souvent. Ex. Jean pense tellement à Estelle qu'il ne fait pas ses devoirs.
témoignage *m.* ce que raconte un témoin. Ex. A cause du témoignage de Paul, on a accusé ce chauffeur.
témoigner montrer
témoin *m.* celui qui a vu ou entendu quelque chose
température *f.*, **faire de la—** se mettre en colère
temps *m.* les heures, les jours; état du ciel; le **beau—** les jours agréables; **—derniers** récemment; **à—** assez tôt; **de—à autre** de temps en temps; **de—en—** quelquefois; **par—clair** Ex. Quand il n'y avait pas de nuages, il faisait beau temps.
tenailles *f. pl.* outil pour tenir quelque chose; douleurs, souffrances
tendit (p. simp. de **tendre**)
tendre (*adj.*) délicat
tendre (*v.*) mettre en avant; faire avancer; **—l'oreille** écouter attentivement; raidir
tendrement avec tendresse
tendu (part. passé de **tendre**) raide
ténèbres *f. pl.* obscurité profonde, noir
tenir garder, ne pas laisser aller; avoir à la main; continuer; diriger; exercer certains métiers; **—à** désirer; **—compagnie** accompagner, rester avec quelqu'un; **—debout** être logique, être accepté comme vrai
tentation* *f.* attrait d'une chose défendue
tenter exercer une tentation. Ex. Les bonbons tentent toujours les enfants.; essayer
terme* *m.* mot. Ex. En d'autres termes, «non»! Vous ne pouvez pas y aller.
terminer* finir
terrain* *m.* espace de terre; terre sur laquelle on peut construire une maison
terre *f.* planète de l'homme; ce que le fermier cultive; **par—** sur le sol, sur le plancher. Ex. L'enfant tombe par terre.
terre-plein *m.* terrasse
tête *f.* partie supérieure de l'homme; **—à—** en face l'un de l'autre
thé *m.* Ex. Le thé est la boisson nationale des Anglais.
thésauriser amasser, mettre de côté
tic *m.* petit mouvement rapide et nerveux,

contraction de certains muscles
tiède entre le chaud et le froid
tiens (exclamation de surprise)
timbre *m.* petit papier qu'on colle sur l'enveloppe pour l'envoyer par la poste. Ex. Ce timbre coûte 5 sous.
tintement *m.* bruit que fait une cloche ou un verre quand il est frappé
tinter sonner
tirelire *f.* petite boîte servant à économiser de l'argent
tirer pousser; faire venir à soi. Ex. Les matelots tirent sur la corde.; faire partir le projectile d'un fusil
tiroir *m.* partie mobile d'un meuble où l'on peut mettre des objets. Ex. Il y a un grand tiroir sous la table.
tison *m.* morceau de bois qui brûle sans flamme
tissu *m.* étoffe. Ex. Le coton, la laine, le nylon sont des tissus.
toile *f.* tissu, étoffe
toilette *f.*, **faire sa—** se laver et s'habiller; **cabinet de—** salle de bain
tombe* *f.* lieu où est enterré un mort
tomber descendre, †monter; **lui tombe sous la main** objet sur lequel il peut mettre la main
tome* *m.* volume
ton* *m.* inflexion de la voix, intonation
tonneau *m.* récipient de bois pour garder des liquides
tonner parler avec véhémence
torchon *m.* morceau d'étoffe; morceau de papier; travail mal fait
torpeur* *f.* état de paralysie momentanée due à la fatigue, léthargie
torréfier griller, rôtir
tort *m.* avoir tort, †avoir raison; ne pas être conforme à la vérité ou au devoir. Ex. Les absents ont toujours tort.
tôt de bonne heure, †tard; **au plus—** le plus vite possible
totalement* complètement
touché* qui a de l'émotion. Ex. Il est touché par votre lettre.
toujours tout le temps, †jamais
tour *m.* partie; expression; mouvement circulaire; stratagème, ruse; exercice difficile; **à mon—de** c'est à moi de...; **—à—** l'un après l'autre
tourmente *f.* tempête violente
tourmenter* faire souffrir
tournée *f.* voyage d'inspection; ensemble des boissons offertes par quelqu'un
tourner* aller autour; **se—** Ex. Il se tourne vers Marie pour lui parler.
tous Ex. Tous les hommes sont mortels.
Toussaint *f.* fête religieuse célébrée le premier novembre
tousser faire sortir de l'air de la bouche avec bruit quand on est malade. Ex. Elle tousse parce que je fume un cigare.
tout (*adv.*) entièrement; très; certainement; **—autant** aussi; **—à coup** soudainement; **—à fait** entièrement; **—à l'heure** bientôt; **—au moins** certainement; **—de suite** immédiatement; **—de même** quand même; **—d'un coup** soudainement, subitement; **pas du—** en aucune façon
tout (adj. exprime l'ensemble) la totalité; **—le monde** toutes les personnes
tout (*pro.*) **—porte à croire** tout semble indiquer
toutefois mais, cependant
trahir dire ce qu'on doit tenir caché
train, en—de (pour indiquer la progression d'une action) Ex. Je suis en train de lire.
traiter appeler, qualifier
trajet *m.* distance à parcourir
tranchant *m.* fil d'un couteau, côté coupant d'un couteau
tranche *f.* morceau coupé. Ex. Je fais un sandwich avec deux tranches de pain et une tranche de viande.
tranquille* calme
tranquillement* calmement
tranquillité* *f.* calme
transporter* porter d'un lieu à un autre; exciter, exalter
trapu gros et court
traquenard *m.* piège pour prendre les animaux nuisibles; ce qui sert à attraper quelqu'un
traquer* poursuivre, suivre les traces d'un animal

travail *m.* emploi où l'on gagne de l'argent; les efforts qu'on fait pour faire quelque chose
travailler faire quelque chose pour gagner de l'argent
travers, à— au milieu de, dans
traverser* aller à travers
tremblement *m.* ce qui tremble. Ex. Le tremblement de terre détruit les maisons.
trembler* faire de petits mouvements
trépas *m.* mort
très Ex. L'oncle Sam est très riche.
trésor* *m.* objet ou collection d'objets précieux
tressaillir trembler d'émotion, avoir une agitation forte pendant quelques instants
trinquer boire à la santé de quelqu'un en choquant un verre contre un autre
triste †gai. Ex. Il pleure car il est triste.
tromper, se— faire une faute, avoir des idées qui ne sont pas justes
tronc* *m.* partie d'un arbre comprise entre les racines et les branches
trôner être assis comme un prince sur son trône
trop plus que nécessaire. Ex. Les riches ont trop d'argent et les pauvres n'ont pas assez d'argent.
trottoir *m.* partie de la rue où marchent les gens qui vont à pied
trou *m.* Ex. Le fromage suisse a des trous.
troubler* causer de la confusion, rendre difficile
trouer faire des trous
trouver découvrir; **se—** être
truc *m.* (*fam.*) objet, souvent un objet dont on a oublié le nom; habileté, savoir-faire
tuberculeux qui a la tuberculose
tuer prendre la vie. Ex. Le soldat tue l'ennemi.
tumeur* *f.* éminence qui grossit dans le corps
turent (p. simp. de **taire**)
tut (p. simp. de **taire**)
type *m.* (*fam.*) homme; **jeunes types** jeunes gens

U

ultime* dernier, final
unique* seul
unir* mettre ensemble
usage *m.* ce qu'on fait par habitude
user# détériorer par l'usage
usine *f.* fabrique. Ex. Près de Paris il y a les usines Citroën où l'on fabrique les automobiles.

V

vacances* *f. pl.* Ex. De juin à septembre il y a les grandes vacances.
vague *f.* mouvement ondulatoire à la surface de l'eau
vain# sans raison, sans but
vaincre gagner, conquérir
vainement en vain
valent (prés. de **valoir**)
valeur* *f.* Ex. Cette maison a une valeur de 90.000 francs.
valise *f.* boîte qu'on peut porter à la main quand on voyage
valoir avoir une valeur. Ex. Un dollar vaut 5 francs.; apporter; procurer, causer; **—la peine** bon à faire
vanité* *f.* choses vaines, futiles; désir d'être admiré
vaniteux* qui a de la vanité
vanter, se— se glorifier, être plein de vanité
vapeur *f.* eau qui devient gazeuse
veille *f.* jour précédent
veine *f.*, **être en—de confidences** prendre plaisir à faire des confidences
vénal* qui fait tout pour de l'argent
vendre donner à un autre pour de l'argent
vendredi le sixième jour de la semaine en France
venir s'approcher; arriver; **—de** finir dans le passé récent. Ex. Lisez-vous toujours? —Non, je viens de finir le livre.; **—en aide** aider
vent *m.* mouvement de l'air. Ex. Le vent du nord est froid.
venter faire du vent
ventre *m.* estomac, organe qui digère
verdâtre d'un vert désagréable
verdure *f.* végétation

vérifier* regarder pour être certain
véritable* vrai
véritablement* réellement
vérité *f.* ce qui est vrai. Ex. Vous dites la vérité, toute la vérité et rien que la vérité devant le juge.
vernis *m.* substance liquide dont on couvre le bois. Ex. Cette femme se met du vernis sur les ongles.
verre *m.* vase à boire. Ex. Il boit son lait dans un verre.
verrou *m.* pièce de métal qui sert à fermer une porte; **—de sûreté** serrure spéciale placée en général au-dessus de la serrure ordinaire et plus difficile à forcer
verrouiller fermer au verrou
vers dans la direction de; près de
verser faire couler. Ex. Je verse le vin de la bouteille dans le verre.
vert de la couleur des plantes
vertu *f.* †vice
Vespa marque de motocyclette italienne
veste *f.* veston, vêtement qui couvre la partie supérieure du corps
vestibule* *m.* corridor qui mène à l'escalier
vestige* *m.* trace
veston *m.* vêtement d'homme. Ex. Il faut une cravate et un veston pour dîner dans ce restaurant.
vêtement *m.* Ex. Une chemise, un veston, un pantalon, une robe, etc.
vêtir mettre des vêtements, porter
vêtu (part. passé de **vêtir**)
veuillez (impér. de **vouloir,** formule de politesse) s'il vous plaît
veuve *f.* femme dont le mari est mort
vexer* fâcher, blesser
viande *f.* chair d'animal. Ex. Un bifteck est de la viande de bœuf.
vibrer* trembler; faire du bruit
vide où il n'y a rien, †plein
vider rendre vide
vie *f.* état d'être vivant, †mort; **gagner sa—** gagner assez d'argent pour vivre
vieil (forme spécial de **vieux** employé devant un mot masculin qui commence par une voyelle ou un *h* muet) Ex. Un vieil arbre.
vieillard *m.* homme vieux
vieille *f.* vieille femme
vieille (*f.* de **vieux**) †nouveau
vieillir devenir vieux
vieillotte (sens péjoratif de **vieille**) qui a l'air déjà vieux
vieux (*f.* **vieille**) âgé, †jeune
vif (*f.* **vive**) brillant, éclatant; qui est en vie
villa* *f.* maison de campagne
ville *f.* Ex. Paris, Bordeaux, Lyon sont de grandes villes.
vin *m.* jus de raisin fermenté
vingtaine *f.* à peu près vingt
vint (p. simp. de **venir**)
violemment avec violence
violette* couleur qu'on obtient en mélangeant le bleu avec du rouge
virgule *f.* signe de ponctuation à l'intérieur d'une phrase
visage *m.* figure, face
vis-à-vis en face de
vit (prés. de **vivre**; p. simp. de **voir**)
vite de façon rapide, †lentement
vitré qui a des vitres, comme une fenêtre
vitrine *f.* grand verre. Ex. Les femmes regardent dans la vitrine du magasin.
vivacité* *f.* animation
vivant en vie
vive (*f.* de **vif**) brillant, éclatant
vivement rapidement avec ardeur
vivre être en vie, pouvoir remuer, respirer. Ex. Comment vivre en paix, voilà le problème.
voici (indication de ce qui est proche); **—cinq ans que** il y a cinq ans que
voie *f.* route, chemin
voilà (indication de ce qui est loin)
voiler cacher derrière un voile; **se—** se cacher; devenir humide
voir Ex. Il voit avec les yeux.; **—clair** comprendre
voisin *m.* personne ou chose à côté de vous. Ex. Je ne copie pas sur mon voisin.
voiture *f.* automobile; wagon
voix *f.* Ex. Ce chanteur à l'opéra a une belle voix, il chante bien.; **à haute—** d'une forte voix

vol *m.* action de voler, c'est-à-dire, de prendre ce qui n'est pas à vous
voleur *m.* homme qui vole
voleuse *f.* femme qui vole
volonté *f.* désir, souhait; faculté de se déterminer, de vouloir
vouloir désirer; —**dire** avoir un sens
voyou *m.* individu immoral
vrai qui est correct, juste, †faux
vraiment de façon vraie
vraisemblance *f.* apparence vraie
vu à cause de
vue *f.* action de voir; **à première**— quand on voit pour la première fois; **perdre de**— ne plus voir

Y

y (*adv.*) dans cet endroit-là. Ex. Elle est dans sa chambre? —Oui. Elle y est.
y (*pro.*) à cela. Ex. Avez-vous pensé au bal? —Oui. J'y ai déjà pensé.
yeux *m. pl.* (*sing.* œil) Ex. L'homme voit avec les yeux.

Z

zèbre *m.* (*pop.*) individu, homme
zic (bruit pour décrire un coup rapide)